... ques

de l'amitié

et de l'admiration

que j'ai pour vous.

Jean Guy Sabourin

sept. 97.

Le Théâtre québécois

DES MÊMES AUTEURS

MADELEINE GREFFARD

Alain Grandbois, Montréal, Fides, coll. « Écrivains canadiens d'aujourd'hui », 1975.

Passé dû, La Grande Réplique, 1980, nº 8.

Pour toi je changerai le monde, La Grande Réplique, 1981, nº 11.

Jocelyne Beaulieu, Josette Couillard, Madeleine Greffard, Luce Guilbault, *L'Incroyable Histoire de la lutte que quelques-unes ont menée pour obtenir le droit de vote pour toutes,* Montréal, VLB éditeur, 1990.

JEAN-GUY SABOURIN

En scène tout le monde, Montréal, Guérin, 1994.

Madeleine Greffard
Jean-Guy Sabourin

Le Théâtre québécois

Boréal

Les Éditions du Boréal remercient le Conseil des Arts du Canada
et la SODEC pour leur soutien financier.

Illustration de la couverture : Rémy Simard.

Éditions du Boréal
Dépôt légal : 3ᵉ trimestre 1997
Bibliothèque nationale du Québec

Diffusion au Canada : Dimedia
Distribution et diffusion en Europe : les Éditions du Seuil

Données de catalogage avant publication (Canada)
Greffard, Madeleine
  Le Théâtre québécois
  (Collection Boréal express ; 18)
  Comprend des réf. bibliogr.

ISBN 2-89052-842-1

1. Théâtre canadien-français – Québec (Province) – Histoire et critique.
I. Sabourin, Jean-Guy, 1934-   . II. Titre.

PS8177. 5.Q8G73   1997   C842. 009'9714   C97-940851-2
PS9177. 5.Q8G73   1997
PQ3917.Q8G73   1997

Table

Introduction

Étranger, mon ami, [...] dis-toi [...]
que là, pour la première fois, nous
sommes. Bon nombre d'entre nous,
en tous cas. Et c'est tels quels que
nous sommes à prendre ou à laisser.

René Lévesque, à propos
de *Tit-Coq* de Gratien Gélinas,
L'Autorité, 28 février 1953.

Nul ne doute, aujourd'hui, de l'existence d'un
théâtre québécois. Depuis le milieu du XXᵉ siècle, les
troupes se sont multipliées, les pratiques n'ont cessé de
se diversifier. Les auteurs se sont attaché de larges publics dont ils ont façonné le goût et stimulé l'intérêt pour
le théâtre ; nombre d'entre eux voient leurs œuvres traduites en plusieurs langues et sont joués avec succès à
l'étranger. Des compagnies québécoises reconnues pour
la qualité et l'originalité de leur pratique sillonnent régulièrement le monde. Des metteurs en scène, des troupes
connaissent la consécration des scènes internationales
majeures comme Paris, Londres, Avignon.

Il a pourtant fallu plus de trois siècles pour que le
théâtre joué sur le territoire du Québec devienne le théâtre de la société québécoise. L'évolution de la collectivité
– sur les plans politique, social, économique, moral et

intellectuel – a permis que s'opèrent plusieurs renversements; longtemps sporadique, l'activité théâtrale est devenue continue; officiellement interdite et combattue, elle a été tolérée puis reconnue; boudée par le public, elle a fini par conquérir une place importante dans les pratiques culturelles; jadis affaire privée, elle bénéficie maintenant du soutien de l'État; redevable pendant plus de trois siècles aux apports étrangers, elle est aujourd'hui pleinement assumée par les praticiens et la collectivité. C'est la relation des francophones du Québec au théâtre que ce livre, dans un cadre restreint, se donne pour but de retracer. Il s'appuie sur les travaux des historiens, les études et les monographies qui attestent de l'intérêt et de la vitalité croissante des études théâtrales depuis les années 1970.

Le *Théâtre québécois* est un titre commode, mais beaucoup trop large par rapport à l'objet visé, soit le théâtre professionnel, son émergence, puis son institutionnalisation. Ce livre traite du théâtre que la majorité francophone du Québec reconnaît comme sien et soutient comme public et par l'intermédiaire des subsides de l'État. Le terme « québécois » est donc employé dans son acception courante et ne prétend pas englober toutes les activités théâtrales se déroulant sur le territoire du Québec. Il subsume par ailleurs les diverses appellations historiques de la société (et du théâtre) – canadien, canadien-français – qui visaient à distinguer, en régime colonial, les francophones nés au Québec des colonisateurs français d'abord, anglais ensuite. Pour suivre les aléas de la relation des Québécois avec le théâtre à travers deux régimes coloniaux et en contexte nord-américain, on ne peut faire l'économie, à certains moments, des théâtres français, anglais et américain au contact desquels le théâtre québécois s'est développé et par lesquels il a été marqué.

Notre intérêt ne se portera qu'occasionnellement sur le théâtre amateur et collégial. Il faut souligner toutefois qu'en l'absence d'un théâtre professionnel canadien-français, ces pratiques ont été, pendant de longues périodes, les seules par lesquelles le goût du théâtre s'est maintenu. Par ailleurs, on peut critiquer l'emploi du mot « amateur » dans un contexte où il est impossible ou difficile de vivre de son métier, et où le théâtre n'atteindra que tardivement l'institutionnalisation. Jusque dans les années 1960, il se trouvera des amateurs dont le travail sera un apport important à l'élargissement du langage théâtral : nous préférons les appeler des non-professionnels.

Le théâtre n'est pas d'abord un genre littéraire comme l'ont donné à croire les historiens de la littérature ni un simple divertissement assuré par des gens de métier. C'est une pratique artistique qui implique la connaissance d'un code, que l'on maîtrise plus ou moins bien, que l'on répète comme on l'a reçu, que l'on modifie ou dépasse en innovant. La particularité du langage théâtral est d'être pluriel : la scénographie, le jeu, les déplacements, la gestuelle, la parole proférée, les sons, la lumière, constituent le texte sensible, significatif, mais éphémère, de la représentation. Par ailleurs, les multiples langages de la scène n'évoluent pas tous au même rythme. Dans un même spectacle, la mise en scène peut être novatrice alors que le jeu reste traditionnel ; un texte formellement révolutionnaire peut donner lieu à une représentation vieux style. Molière peut permettre aux comédiens d'exprimer le tempérament québécois, et un texte écrit par un auteur du cru, être prononcé avec une diction française ou présenté dans une mise en scène de type américain. Une étude compréhensive du théâtre comme pratique artistique prendrait en compte chaque élément du langage scénique dans son développement et dans son rapport à l'ensemble du code. Cette étude commence à peine, et ce livre ne peut y prétendre. L'expression « théâtre québécois » renvoie cependant implicitement à tous les aspects de la pratique théâtrale et à ses conditions spécifiques et ne peut être réductible à la seule dramaturgie malgré le rôle essentiel de cette dernière. Qualifier une pratique de « québécoise », c'est postuler que la mise en jeu du code théâtral s'y distingue par certains traits et par un usage particulier qui coïncident avec l'enracinement de cette pratique dans une société.

Mais le théâtre québécois partage aussi avec les pratiques européennes et américaines une tradition, une volonté de remise en question et un désir de renouvellement de son langage et de son expression. L'intérêt qu'on lui témoigne à l'étranger en fait foi.

CHAPITRE I

De commencements en recommencements (1606-1937)

> Je ne sache pas qu'il y ait eu dans l'Histoire beaucoup d'exemples d'un théâtre national qui soit né aussi souvent que le nôtre.
>
> Jean-Marc Larrue, *L'Annuaire théâtral*, 1988-1989.

En 1606, un équipage français mouillant dans la baie de Port-Royal donne la première représentation de théâtre amateur en français en Amérique du Nord, *Le Théâtre de Neptune en la Nouvelle-France*. Il faut pourtant attendre jusqu'à la fin du XIXe siècle pour voir sur les scènes du Québec des comédiens professionnels canadiens-français et ce n'est qu'en 1930 qu'une troupe québécoise dirige et administre son propre théâtre. Comment expliquer ce lent développement ? Quelle a été la nature de l'activité théâtrale sur le territoire du Québec pendant près de trois siècles ?

Des débuts en mineur (1606-1758)

Le Régime français ne connaîtra qu'une activité amateur irrégulière et réduite : moins de 30 représentations en 150 ans, presque toutes à Québec. Le Collège des jésuites et la garnison en sont les principaux foyers. Le théâtre y est d'abord convivial. Pour accueillir un nouveau gouverneur ou un dignitaire, on écrit une pièce de circonstance qui rassemble la société religieuse et civile, y compris les Indiens. Au Collège des jésuites et, dans une moindre mesure, chez les ursulines, le théâtre est aussi pratiqué à des fins éducatives et édifiantes.

Il arrive que le gouverneur, pour se divertir, commande des spectacles aux officiers de la garnison. On joue alors Racine ou Corneille. L'Église s'inquiète de ce théâtre, pur divertissement social, car elle l'associe aux bals et aux réunions mondaines. En 1694, le projet de Frontenac de monter *Le Tartuffe,* interdit à sa création à Paris mais autorisé depuis 1669, provoque l'affrontement des pouvoirs civil et religieux sur la question du théâtre et cristallisera pour longtemps l'opposition de l'Église. Non seulement *Le Tartuffe* ne sera pas joué, mais, frappé d'interdit, le théâtre ne se pratiquera désormais qu'occasionnellement, dans le cadre de fêtes privées.

Aucun lieu public n'a donc inscrit l'activité théâtrale dans l'espace de la cité. Les raisons qui expliquent cette situation ne manquent pas : la taille réduite de la colonie, les difficultés militaires et économiques, l'opposition de l'Église et ce fait banal, mais déterminant, qu'aucun comédien n'a émigré en Nouvelle-France ; par contre, une troupe de 12 comédiens et comédiennes de Londres, sous la direction de William Hallam, est venue s'établir dans la colonie anglaise au sud. Tout le théâtre américain en est issu. Lors de la cession du Canada à l'Angleterre, même le théâtre collégial est une pratique perdue. Le seul héritage théâtral de l'Ancien Régime sera l'hostilité de l'Église, qui se maintiendra pendant près de 150 ans.

Il faut préciser que l'opposition au théâtre n'est pas particulière à l'Église catholique. Les puritains de la Nouvelle-Angleterre, comme l'Église de la Nouvelle-France, rêvent de créer au Nouveau Monde la société idéale que les réformes protestantes et le mouvement janséniste n'ont pas réussi à imposer à l'Europe. Dans le modèle de vie austère qu'ils privilégient, les divertissements sont vus comme une menace de dissolution des mœurs. La première mention d'une représentation dramatique se trouve dans les archives judiciaires de l'État de Virginie. Trois hommes du district d'Accomac sont alors traduits devant les tribunaux pour avoir joué en 1656 une pièce de théâtre. La cour, après avoir assisté à une représentation, déclare les prévenus innocents de toute offense matérielle ou morale et condamne leur dénonciateur aux dépens. La lutte contre le théâtre ne s'arrêtera pas avec ce jugement, mais le dynamisme social et théâtral l'emportera sur l'opposition des puritains.

Le théâtre ressuscite, mais parle anglais (1765-1898)

De la Conquête jusqu'à la fin du XIXe siècle, la scène au Québec sera surtout anglophone. L'activité professionnelle est assurée par des troupes de tournée, américaines ou européennes, tandis que le théâtre, chez les Anglais comme chez les Canadiens, reste non professionnel.

Le dynamisme anglophone

Dans la colonie britannique, le théâtre amateur est, d'emblée, public. Pris en charge par les officiers de la garnison, il réunit l'élite anglaise et française et tente de se dédouaner : les représentations ne sont pas qu'un divertissement puisque les recettes sont partagées entre les œuvres de bienfaisance des deux communautés. Québec, centre militaire, administratif et politique, reste le cœur de la vie culturelle jusque dans les premières années du XIXe siècle, mais rapidement, Montréal connaîtra aussi une activité théâtrale. Quelques salles destinées au théâtre sont aménagées, dont la plupart ne survivent pas à leur première saison. Les entreprises de quelque durée seront le Theatre, rue des Jardins à Québec (1806-1825), et le Montreal Theatre (1808-1816), salles qui accueilleront quelques spectacles en français dans une programmation d'abord anglophone. La vie théâtrale s'intensifie avec l'immigration britannique et américaine. Pour l'année 1824, entre autres, on a pu retracer, à Montréal et à Québec, 154 représentations en anglais contre 5 en français.

En 1786, une troupe itinérante américaine vient

donner une saison à Montréal et à Québec. Ce ne sont sans doute pas les premiers professionnels à se produire sur le territoire canadien, mais leur venue marque le début de l'annexion de Montréal et de Québec aux circuits des troupes itinérantes de l'est des États-Unis. En dépit de la médiocrité présumée de ces représentations, le public peut apprécier un théâtre pratiqué par des gens de métier. Les amateurs anglophones ont désormais des modèles stimulants, et ils sont eux-mêmes à l'occasion recrutés pour de petits rôles ; de plus, ils bénéficient, quand ils montent un spectacle, des conseils et parfois même de la présence de comédiens professionnels.

Vers 1820, Montréal est devenu le centre de la vie économique. La nouvelle bourgeoisie anglo-montréalaise voit dans le théâtre un moyen d'affirmer le prestige de sa classe. L'industriel Molson fait construire le Royal Molson, sur l'emplacement du futur marché Bonsecours (1 000 places). Son ambition est double : doter Montréal, ville de l'Empire, d'un théâtre digne d'accueillir les vedettes métropolitaines et les meilleures compagnies américaines en tournée, et établir à demeure une compagnie professionnelle dont on confie la formation et la direction à Frederick Brown, un acteur anglo-américain. Celui-ci met sous contrat une vingtaine d'acteurs, dont cinq femmes, recrutés à New York et dans les cirques américains en tournée à Montréal ; mais les directeurs se succèdent sans réussir à maintenir une troupe régulière. Le Royal Molson ferme ses portes en 1844. Un autre théâtre de prestige lui succède, en 1852, encore dans l'enceinte de la ville : le Royal Côté, lui-même déclassé en 1870 par The Academy of Music, une initiative du financier Hugh Allan. Construit dans le nouveau quartier résidentiel de la bourgeoisie anglophone, à l'angle de l'avenue Victoria et de la rue Sainte-Catherine, ce théâtre prestigieux de 2 000 places sera jusqu'à la fin du siècle le centre de la vie culturelle montréalaise et accueillera les vedettes américaines, anglaises et même françaises en tournée nord-américaine. Quand elles se rendent à Québec, c'est au Music Hall de la rue Saint-Louis (1853-1900) que les troupes de tournée se produisent.

L'activité réduite des amateurs
canadiens-français

Les amateurs canadiens-français ne bénéficient pas du soutien communautaire ni des ressources sur lesquelles s'appuie le théâtre amateur anglais. Aussi les spectacles sont-ils rares : à peine un ou deux par saison, avec parfois des intervalles de plusieurs années. Quelques immigrants français ou suisses essaient, sans succès, d'offrir des saisons régulières. Il faut signaler, à Montréal, les tentatives de Joseph Quesnel, qui produira quelques pièces de son cru, dont un opéra-comique, *Colas et Colinette* (1790), plusieurs fois repris au XIXe siècle et encore joué aujourd'hui dans une version moderne due au compositeur torontois Godfrey Ridout ; à Québec, Firmin Prud'homme et Napoléon Aubin tentent de susciter une activité théâtrale. Aubin crée en 1842 *La Donation,* du Canadien Pierre Petitclair.

Si ces animateurs reçoivent peu d'appuis, cela est dû en partie à l'opposition de l'Église, qui n'a pas abandonné son combat contre le théâtre : non seulement il favorise, selon elle, le relâchement des mœurs, mais de plus, c'est une activité mixte. Or, les autorités religieuses livrent une lutte acharnée à la mixité où qu'elle se trouve, aussi bien dans les bals que dans l'enseignement. Enfin, l'Église redoute un répertoire qui va parfois à l'encontre de la morale et des valeurs qu'elle prône.

Dans la deuxième moitié du XIXe siècle, la population canadienne-française augmente et les cercles d'amateurs se multiplient. Le nouvel évêque de Montréal, Mgr Bourget, tente de mieux encadrer les catholiques pour les soustraire à la menace du monde moderne. Les troupes d'amateurs ne sont plus, comme au XVIIIe siècle, l'initiative d'individus indépendants (et souvent progressistes) ; branche culturelle et éducative des sociétés mutuelles (associations ouvrières), elles reçoivent l'appui du clergé ; en échange, elles doivent se soumettre à ses restrictions : moralité du répertoire, éviction non seulement des comédiennes, mais des rôles féminins, et parfois même exclusion des femmes du public. Se développe ainsi une tradition de non-respect du texte et de médiocrité dramatique. Incapable d'empêcher le théâtre, l'Église y fait du moins triompher sa vision idéale du monde : les femmes sont occultées, et toute relation amoureuse bannie. Le retour des jésuites et la création de nouveaux collèges classiques entraînent cependant une renaissance du théâtre collégial. En dehors des grands centres, cette activité de formation représente souvent le seul contact de la population locale avec le théâtre.

La rareté de l'activité théâtrale en français est incontestable. On recense, entre 1765 et 1858, 225 soirées de théâtre amateur francophone, contre 1 450 soirées de théâtre anglophone, surtout professionnel.

En l'absence de structures professionnelles francophones, c'est par des amateurs que seront créées, dans les meilleures salles anglophones de Montréal et de Québec, les pièces de Louis Fréchette et de Félix-Gabriel Marchand. Selon Jean-Marc Larrue, *Papineau,* de Fréchette, présenté à l'Academy of Music en 1880, était digne, par son réalisme scénique, des productions américaines de Broadway. Les amateurs et le public francophones, formés au théâtre américain, en ont donc adopté le code spectaculaire.

Du théâtre professionnel français en tournée

À partir de 1858, les francophones peuvent applaudir des troupes professionnelles de langue française. Elles viennent de La Nouvelle-Orléans ou des Antilles via les États-Unis. Avant 1880 cependant, aucun artiste des scènes parisiennes n'est encore venu au Canada. Le hasard d'une tournée américaine conduira alors à Montréal Sarah Bernhardt. Sa visite improvisée est transformée par les Montréalais en retrouvailles avec la mère patrie. Après l'arrivée de *La Capricieuse* au port de Québec, en 1855, qui marque la reprise officielle des liens commerciaux avec la France, la visite de Sarah Bernhardt prend valeur de contact avec la culture française contemporaine. Rappelons ici que la rupture des liens avec l'ancienne métropole, après la cession de la Nouvelle-France à l'Angleterre, fut doublée, après 1789 et surtout 1793, d'une rupture idéologique avec la France républicaine et laïque, violemment condamnée par l'Église ultra-montaine du Canada. Or, avec Sarah Bernhardt, c'est la France « étrangère », amorale, qui met le pied en terre canadienne. L'anathème sera lancé contre *Adrienne Lecouvreur*, de Scribe et Legouvé, ce qui n'empêchera pas le public d'accourir à l'Academy of music le 23 décembre. 1880 ni la célèbre vedette de revenir six fois par la suite au Canada. Dans son sillage se produiront, à l'Academy of Music, Coquelin l'aîné, Jane Hading, Mounet-Sully et Segond Weber, de la Comédie-Française, de même que Réjane et son Théâtre du Vaudeville. Le public canadien-français peut donc apprécier sur les scènes anglaises les vedettes parisiennes dans le répertoire classique et contemporain. Habitué aux pièces et au style de jeu anglo-américains de même qu'au théâtre facile des troupes de tournée, il est dérouté par le répertoire classique et le style déclamatoire du jeu français.

Misant sur la présence d'une population francophone et sur l'absence de théâtre professionnel local, quelques artistes entrepreneurs tentent de s'établir au Québec, mais aucun ne réussit à maintenir une troupe régulière avant la fin du siècle. Les premiers comédiens canadiens-français professionnels participeront en 1887 à l'une de ces entreprises, la troupe du Conservatoire, qui disparaîtra après une saison, puis se produira de nouveau en 1893 sous le nom de Troupe franco-canadienne.

Un double renversement (1898-1937)

Au tournant du siècle, les Anglo-Montréalais perdent leurs grandes salles aux mains des Américains, et le dynamisme de la scène locale se déplace du côté français.

L'emprise de New York

Les circuits de tournée américains, qui jusque-là étaient nombreux et se faisaient concurrence, sont monopolisés, à la fin du XIXe siècle, par une compagnie new-yorkaise, The Trust, qui étend son pouvoir sur l'est du Canada par l'achat et le contrôle des salles. Pour cette compagnie, Montréal est une ville de second plan qui ne justifie pas les tournées du grand répertoire. L'élite anglophone de Montréal s'insurge et construit en 1898 le Her Majesty's Theatre, rue Guy. En 1901, la salle est louée par l'Américain F. F. Proctor, qui contrôle les circuits du vaudeville, mais sa programmation ne lui apporte pas le succès escompté. À partir de 1904, le Her Majesty's retrouve sa vocation première et, pendant plus d'un demi-siècle, il sera le lieu d'accueil des artistes et des spectacles anglais, américains et même français de renom.

Les Anglo-Montréalais, comptant depuis toujours sur le théâtre venant de l'étranger, n'avaient pas senti le besoin d'élaborer une activité professionnelle autonome. À la fin du siècle, sous la poussée du développement industriel, Montréal, dont la population a décuplé, est, contre toute attente, devenue une ville à majorité française. Les comédiens francophones peuvent enfin compter sur un public.

Une scène locale française

L'année 1898 verra se produire deux événements importants dans le développement du théâtre français à Montréal, l'un amateur, l'autre professionnel : la fondation des Soirées de famille au Monument-National et l'implantation de troupes françaises régulières à Montréal.

L'Association Saint-Jean-Baptiste, fondée en 1834 dans le but de regrouper les Canadiens français et de défendre leurs droits, a fait construire, en 1893, le Monument-National, pour affirmer la présence canadienne-française dans la ville. Le lieu devient le centre des activités de la Société. Pour rentabiliser l'investissement, les espaces du sous-sol et d'une partie du rez-de-chaussée sont mis en location. La grande salle, d'une capacité approximative de 2 000 places, conçue pour les réunions publiques, ne répond pas aux critères d'une salle de spectacle. On la réaménagera par deux fois (en 1894 et en 1896) pour en faire l'un des théâtres les mieux équipés au début du xxe siècle, à l'acoustique unique à Montréal. Paradoxalement, pendant plusieurs années, les coûts prohibitifs de la location ne la rendent accessible qu'aux troupes anglophones, irlandaises, yiddish et chinoises. Les amateurs francophones ne peuvent s'y produire.

Préoccupée de l'avenir des Canadiens français, peu instruits, l'Association Saint-Jean-Baptiste inaugure, en 1896, des cours publics pour assurer la formation de la main-d'œuvre ouvrière de même que le perfectionnement de sa future élite. Elzéar Roy, le responsable du cours d'élocution, propose de mettre au programme des représentations dramatiques. Sont ainsi créées les Soirées de famille, une troupe amateur mixte qui se produit de 1898 à 1901. À travers cette activité de formation, les Soirées veulent aussi hausser la qualité du répertoire et créer des dramaturges locaux, des buts qui ne seront pas atteints. L'initiative d'Elzéar Roy marque cependant une date importante dans le rapprochement du théâtre et de la société québécoise. Pour la première fois, l'élite canadienne-française, par l'Association Saint-Jean-Baptiste, donne au théâtre une place officielle. La première des Soirées réunit le maire de Montréal, quelques ministres fédéraux et provinciaux et l'archevêque de Montréal, Mgr Bruchési. En approuvant la création d'une troupe mixte, ce dernier reconnaît que la lutte contre la fréquentation du théâtre a échoué et qu'il vaut mieux le ramener dans le giron de la communauté canadienne-française pour être en mesure d'en contrôler au moins la moralité, ce qu'assurent, par leur nom et leur cadre, les Soirées de famille.

Au moment où les élites montréalaises patronnent une troupe d'amateurs, deux Français, Antoine Godeau, en charge des cours techniques au Monument-National, et Léon Petitjean, comédien, fondent le Théâtre des Variétés, la première troupe professionnelle francophone permanente. Cette appellation, utilisée en opposition à « troupe de tournée », si elle indique une volonté de stabilité, ne laisse pas d'être en contradiction flagrante avec la précarité qui caractérise l'activité théâtrale de l'époque. À côté des acteurs français qui composent l'essentiel de la troupe se retrouvent quelques comédiens canadiens-français : Joseph Archambault, dit Palmieri, Jean-Paul Filion, Elzéar Hamel, et Julien Daoust, qui font partie, avec les pionniers Blanche de la Sablonnière et Victor Brazeau, de la première génération d'acteurs locaux.

En 1900, Julien Daoust, un Canadien français qui a joué quelques années aux États-Unis, annonce l'ouverture d'une nouvelle salle, le National, rue Sainte-Catherine près de la rue Beaudry. Le nom indique bien la vocation que le directeur veut donner au nouveau théâtre : promouvoir les talents canadiens. Cependant, en difficultés financières, Julien Daoust doit céder la salle, avant même son ouverture, à Georges Gauvreau, qui engage, comme directeur artistique, Paul Cazeneuve, un comédien français élevé aux États-Unis et considéré comme le premier metteur en scène local. Jusqu'à la Première Guerre mondiale, les comédiens français feront du National l'un des théâtres les plus fréquentés de Montréal.

Entre 1898 et 1900, sept salles francophones verront le jour et fermeront leurs portes rue Sainte-Catherine Est. Toutes offrent le même théâtre commercial : boulevards, mélos, comédies légères. Insatisfaits, un groupe d'artistes fondent le Théâtre des Nouveautés (1902-1908), dont ils veulent faire la Comédie-Française de Montréal. On fait venir de Paris des comédiens qui, habitués à jouer du mélodrame, ne parviennent pas à imposer Molière. La troupe se cantonne alors dans le répertoire du XIXe siècle. En 1912, Julien Daoust, qui a dirigé entre-temps le Théâtre Populaire, place Jacques-Cartier à Québec, s'installe à Montréal dans une ancienne salle de cinéma, Le Nationoscope, qu'il rebaptise Le Canadien. Dès l'année suivante, il connaît de nouveau des difficultés financières et le théâtre passe aux mains de Fernand Dhavrol, qui y installe une compagnie française.

Le théâtre de cette époque est une entreprise commerciale sous la direction d'entrepreneurs et d'artistes français ; des comédiens canadiens y sont engagés, la plupart du temps pour des rôles secondaires. Les tentatives de hausser la qualité du répertoire et de susciter des dramaturges locaux échouent, faute d'un public pour les soutenir. La guerre de 1914-1918, qui rappelle les citoyens français dans leur patrie, donne aux comédiens locaux l'occasion de s'imposer au public, en particulier au Canadien.

On a appelé la période qui va de 1898 au début de la Première Guerre mondiale « l'âge d'or » du théâtre au Québec, mais l'expression des historiens anglais, « *one dime theatre* », rend mieux compte de la réalité. On trouve certes, pour la première fois à Montréal, une activité régulière de théâtre professionnel en français soutenue par des capitaux francophones. Mais la multiplication des salles et des troupes, en même temps qu'elle atteste de la vitalité du milieu et de l'élargissement du public, indique que les conditions d'exercice du métier sont difficiles et que les liens entre le théâtre et le public sont précaires. Parce que les entreprises doivent être rentables pour leur propriétaire et que directeurs et comédiens veulent vivre de leur métier, on donne au public dont on est tributaire les divertissements qu'il aime : mélodrames, vaudevilles, boulevards. On doit changer d'affiche chaque semaine et multiplier les représentations : six soirées, trois matinées. Les comédiens apprennent leur texte chacun pour soi et entrent souvent en scène après une seule générale dans des vieux décors plus ou moins rafraîchis, et en comptant sur l'aide du souffleur. Le théâtre est un métier que l'on pratique à la chaîne.

Un théâtre en quête de public

Après 1918, le théâtre perd son élan. L'épidémie de grippe espagnole entraîne la fermeture des salles ; fasciné par les voix de la radio, le public reste chez lui, et, quand il sort, la magie du cinéma supplante l'attrait de la scène. Parallèlement aux pièces à la mode de Paris qui alimentent les salles de la rue Sainte-Catherine Est, une autre forme de spectacle, importée des États-Unis, s'impose un peu plus à l'ouest : le burlesque. On offre au public une série de numéros : danses, chants, musique, acrobatie, gags, sketches, comédies, films, sans oublier le *chorus line* de jeunes femmes. Séduits par le succès de la formule, des comédiens québécois jouent du burlesque à la manière américaine et en anglais : gags, coups de pied et tartes à la crème. Les vedettes logent boulevard Saint-Laurent et ont pour noms Swifty, Pizzy, Wizzy, Pic-Pic. Dans leur sillage, Arthur Petrie et Olivier Guimond père présentent leurs spectacles en anglais et en français en adaptant leurs sketches au public local. De 1930 à 1950, entièrement canadianisé, le burlesque fait les beaux jours du National avec la Poune, Olivier Guimond père et fils et plus d'une trentaine d'artistes. On joue deux fois par jour et, comme dans tous les théâtres de l'époque, on change l'affiche chaque semaine. La troupe itinérante de Jean Grimaldi a autant de succès en province.

Vers 1920, le déclin du théâtre commercial a vu éclore, dans le milieu canadien du théâtre non professionnel, un mouvement en faveur d'un théâtre d'art et de recherche, et d'une dramaturgie nationale. À Montréal, de petites compagnies naissent au début des années 1920 (Les Compagnons de la petite scène, le Théâtre Intime, le Cercle Michel Scott, le Cercle académique Lafontaine et le Cercle Lapierre) pour explorer un répertoire et un style de jeu plus modernes, mais leurs tentatives ne peuvent vaincre l'esprit conservateur du public bourgeois à qui elles s'adressent. Dans le même esprit, Martha Allan fonde, en 1930, le Montreal Repertory Theatre (MRT). Par la production de pièces de répertoire et d'œuvres contemporaines, l'existence d'un studio réservé à la recherche, l'ouverture d'une section française, la création de textes de dramaturges anglophones et francophones, le MRT assure, jusqu'à la guerre, une activité théâtrale qui rallie les fervents d'un théâtre de qualité. À la même époque, voulant affirmer leur autonomie, une nouvelle génération de comédiens canadiens-français se regroupent autour de Fred Barry et d'Albert Duquesne, au Canadien en 1925, puis au Chantecler en 1927. En 1930, la troupe Barry-Duquesne acquiert le Chantecler, qui devient le Théâtre Stella (400 places), et s'y installe, rêvant d'échapper aux conditions aliénantes du théâtre commercial et de présenter un répertoire plus moderne et de meilleure qualité. Dès la deuxième saison cependant, on revient aux succès des boulevards parisiens. Ni Henri Letondal ni Antoinette Giroux, qui en prennent successivement la direction, ne pourront imposer leurs choix artistiques, malgré quelques succès. En 1935, la salle redevient un cinéma. La Renaissance théâtrale (1936-1937), tente, sans plus de succès, de présenter des pièces de répertoire.

Les premiers textes dramatiques

Depuis le début du Régime français, des centaines de pièces ont été écrites sur les modèles français, auxquels les auteurs, français ou canadiens, identifiaient le théâtre. Aucune ne peut aujourd'hui supporter l'épreuve de la scène. Le défaut majeur de ces œuvres n'est pas de s'inscrire dans le code français de leur temps, ni même dans un code déphasé, mais tout simplement de ne pas maîtriser la forme dramatique. Seuls brillent encore les titres, comme des cailloux blancs dans la nuit obscure de notre dramaturgie.

Parmi ces pièces repères, citons *Le Théâtre de Neptune en la Nouvelle-France,* de Marc Lescarbot, œuvre de circonstance qui réunit en 1606, dans un jeu nautique, les explorateurs français et les Indiens dans un hommage versifié au roi de France Henri IV. *L'Anglomanie* (1802), la pièce la plus originale de Joseph Quesnel, qui n'a pas été jouée du vivant de l'auteur, met en scène la bourgeoisie canadienne-française dont elle critique, dans une comédie, la volonté d'adopter les mœurs du conquérant pour être agréée de lui. *La Donation* (1842), de Pierre Petitclair, est connue comme la première pièce d'un auteur canadien à être jouée et publiée ; *Le Jeune Latour* (1844), d'Antoine Gérin-Lajoie, toujours signalée comme la première tragédie classique, n'inaugure cependant pas un genre ; écrite 20 ans après la bataille d'*Hernani,* où s'affrontent romantiques et classiques, cet exercice d'un étudiant brillant qui cherche avec mérite matière à tragédie dans un épisode de la guerre anglo-française dans les colonies d'Amérique, témoigne des modèles figés, intemporels et aliénants que le cours classique proposait aux écrivains en herbe. Les pièces de Louis Fréchette – *Félix Poutré* (1862), *Papineau* et *Le Retour de l'Exilé* (1880) –, qui furent de grands succès à leur création, ne résistent pas à la critique, sans compter les problèmes de plagiat qui furent soulevés dès leur parution. Le drame historico-patriotique, auquel le prestige de Fréchette donne crédit, sera l'un des genres les plus populaires de cette période. Les comédies de Félix-Gabriel Marchand, dont *Les Faux-brillants* (1905), réécrits par Jean-Claude Germain (1977), témoignent de l'intérêt de cet homme, premier ministre de la province de 1897 à 1900, pour le théâtre, mais ne sauraient faire de lui un bon dramaturge. Sans doute faut-il mentionner aussi le succès populaire de la célèbre *Aurore l'enfant-martyre,* de Henri Rollin et Léon Petitjean, un mélodrame créé en 1921 et joué régulièrement jusqu'en 1951. Malgré leur piètre qualité dramatique, ces textes, par leurs thèmes ou leurs structures, reflètent la société dont ils sont issus et intéressent, de ce fait, la socio-critique.

Dans les années 1920, nombre de comédiens ou d'hommes de théâtre – Henri Deyglun, Henri Letondal et Paul Gury, entre autres – écrivent pour la scène des comédies ou des mélodrames dont l'action se passe au Québec et qui sont révélateurs de certains traits de la société. Il s'en dégage parfois une certaine habileté dans le maniement des personnages et des situations. Yvette Mercier-Gouin présente une dizaine d'œuvres mi-boulevard, mi-mélodrame, qui connaissent un certain succès en dépit de leur inefficacité sur le plan dramatique ; leur intérêt est de mettre en scène la grande bourgeoisie montréalaise.

Depuis les tout premiers textes, la question de la langue se pose de façon directe ou incidente, que ce soit celle du public ou celle des personnages : canadienne ou anglaise ? française ou canadienne ? urbaine ou paysanne ? correcte ou populaire ? littéraire ou orale ? En 1905, le parler canadien des paysans des *Boules de neige,* de Louvigny de Montigny, suscite un vif débat dans les milieux littéraires : la question de la langue au théâtre reflète la difficulté qu'éprouve la société canadienne-française à se définir, difficulté qui continuera à hanter la scène.

En 1935, la dramaturgie au Québec est encore à naître.

Un théâtre incertain

Vers 1930, les comédiens locaux semblent assez nombreux pour assurer le développement du théâtre, mais celui-ci cherche son public et souffre d'un manque d'infrastructures. Le milieu théâtral n'est ni soutenu ni reconnu par la communauté. La direction du Dominion Drama Festival, le Festival national d'art dramatique, un organisme qui, à partir de 1933, organise des festivals annuels pancanadiens dans le but de hausser la qualité du théâtre amateur au Canada et de favoriser la création d'un théâtre professionnel, se donne chaque année toutes les peines du monde pour trouver en Angleterre, et parfois en France, les adjudicateurs dont elle a besoin. Aucun Canadien anglophone ou francophone n'est, à ses yeux, assez compétent et prestigieux pour juger d'un festival amateur pancanadien.

En 1936, Jean Béraud, critique de théâtre au journal *La Presse,* pose aux personnalités les plus actives du milieu théâtral et musical la question suivante : que faut-il faire pour doter Montréal d'une scène française permanente ? La question présuppose l'absence d'une telle scène, ce qu'aucun répondant ne conteste. Par ailleurs, le terme « français » est compris par la majorité des artistes (dont un grand nombre sont nés en France) dans le sens de « lié à la France ». La question, comme les réponses, révèlent le désarroi du milieu théâtral. Il serait, selon lui, impossible de renouveler le théâtre sans l'aide de l'État et sans le concours de metteurs en scène et de comédiens français. On réclame une salle financée par l'État et soustraite aux contraintes commerciales, et une école de formation des dramaturges et des interprètes de la scène théâtrale et lyrique ; une très forte majorité appelle de tous ses vœux un metteur en scène de France ; certains veulent le voir arriver avec une compagnie entière, d'autres avec un noyau de comédiens auquel se joindraient les meilleurs comédiens locaux (comme au début du siècle). Un seul répondant réclame une troupe et un répertoire canadiens.

Pourtant, c'est sans aide étrangère ou gouvernementale que le théâtre franchira une étape capitale de son implantation dans la société québécoise. Il trouvera son élan dans le croisement des pratiques locales – le théâtre collégial et amateur – et l'appui des comédiens professionnels des années 1930.

Chapitre II

Les années charnières (1937-1948)

> Nos Maîtres : Jacques Copeau, [...]
> Chancerel, [...] Ghéon, et Brochet [...]
> nous avons besoin de leur présence
> quotidienne et nous en inspirons nos
> efforts.
>
> Émile Legault, *Les Cahiers
> des Compagnons*, 1944.

> Pas plus au théâtre qu'ailleurs, nous
> ne saurions compter sur la littérature
> de France pour nous représenter.
>
> Gratien Gélinas, « Pour un
> théâtre national et populaire »,
> *Amérique française*, 1949.

Animés d'un même désir de doter le Canada français d'une scène qui lui soit propre, Émile Legault et Gratien Gélinas, tous deux issus du théâtre collégial, vont, dans les années 1940, par leur action divergente, poser les bases à partir desquelles se développera de façon continue et irréversible le théâtre québécois.

Les Compagnons de Saint-Laurent

En août 1937, Émile Legault, clerc de Sainte-Croix, regroupe six jeunes amateurs et fonde, avec l'autorisation

et le soutien de sa communauté, une troupe non professionnelle mixte, Les Compagnons de Saint-Laurent. Bien
que vouée à l'origine au renouveau du théâtre chrétien, la
jeune équipe se tourne progressivement vers le répertoire
profane, classique et contemporain. Elle diversifie ses
activités, présente du théâtre pour les jeunes, tente de
mettre sur pied une école de formation, publie une
revue. Au fil des ans, Les Compagnons agrandissent leur
territoire : à leurs saisons de Montréal s'ajoutent celles de
Québec et d'Ottawa, et l'été les retrouve en province.
En 1948, ils deviennent propriétaires du Théâtre des
Compagnons, une salle de 400 places aménagée dans une
ancienne église protestante. En 15 ans de carrière, la
troupe aura polarisé toute une génération d'artistes et se
sera imposée, affirme en 1961 le critique Jean Hamelin,
comme « le groupe théâtral le plus important du Canada
tout entier ». Comment expliquer ce succès ?

Un projet d'envergure

« Faire ou re-faire le théâtre de notre pays », telle
est l'ambition de Legault qui, par le fait même, met en
doute l'existence d'un théâtre national ou refuse de
reconnaître ce qui prétendrait l'incarner, soit le théâtre
commercial d'inspiration française ou américaine, que
l'homme d'Église en Legault qualifie de « mangeur
d'âme ». L'homme de scène rêve d'opposer à ce « vieux »
théâtre une forme moderne dont il a eu la révélation en
1932 au collège Brébeuf en assistant à une représentation
de *Gilles ou le Saint malgré lui,* de Ghéon. Théâtre moderne et inspiration chrétienne sont donc liés pour lui,
mais non indissociables ; par contre, la modernité, à ses
yeux, correspond à une forme, celle du jeu dramatique
caractérisé par l'esprit d'équipe, le jeu corporel et choral.
Cette modernité marquera profondément la direction
artistique de Legault au-delà du répertoire à travers
lequel il l'a découverte.

La réforme de la scène que veut opérer le directeur
des Compagnons exige un répertoire d'une haute qualité
artistique autant que morale et la réhabilitation du comédien. La première saison est exclusivement consacrée à

des pièces chrétiennes, mais les incursions dans le répertoire profane commencent dès la deuxième année avec Molière. Claudel apparaît bientôt, et, à partir de 1944, Ghéon, Chancerel et Obey cèdent la place aux auteurs classiques et modernes : Beaumarchais, Marivaux, Cocteau, Anouilh, Giraudoux, et même les vaudevillistes Courteline et Labiche. Le *bon* théâtre n'est plus réductible au théâtre religieux.

L'ambition de Legault, telle qu'il l'exprime dans les *Cahiers des Compagnons,* est de constituer une équipe de comédiens chrétiens. La pratique religieuse est de rigueur : messe, communion, prière et valorisation des vertus chrétiennes. Celles-ci d'ailleurs régissent la vie sur scène. Contre le vedettariat, le directeur impose l'anonymat, garant du désintéressement, de l'esprit d'équipe et de l'unité de jeu. L'alternance des petits et des grands rôles rappelle au comédien qu'il est au service d'un texte et d'une équipe. Serviteur de Dieu et serviteur de la scène se confondent. Certains adhèrent à cet idéal, d'autres se prêtent au jeu. Les récalcitrants claquent la porte.

Des convergences idéologiques et sociales

Le projet d'Émile Legault, bien qu'original, s'inspire d'expériences qui ont alors cours en France depuis plus de 20 ans, et s'inscrit dans un cadre idéologique et une dynamique sociale spécifiquement québécois.

L'encyclique *Rerum novarum,* promulguée en 1891 par Léon XIII pour engager les catholiques à évangéliser le monde moderne, trouve lentement des échos dans l'Église du Québec. Bien que cette dernière modifie quelque peu son attitude à l'égard d'un monde que les transformations de toutes sortes ont bouleversé, elle continue de condamner les loisirs dont le théâtre et les nouvelles technologies comme le cinéma. Certains de ses membres, cependant, savent faire preuve d'audace. Mgr Tessier et l'abbé Proulx deviennent les pionniers du cinéma documentaire au Québec, et les religieux organisent les ciné-clubs. La réforme de la scène qu'entreprend le père Legault se situe dans la continuité de l'action cléricale progressiste.

À travers les « grands convertis » du XXᵉ siècle, le milieu intellectuel et artistique québécois prend appui sur la France. Legault puise son inspiration chez Copeau, fait venir Ghéon, crée un texte de Pierre Emmanuel. Alors que les directeurs et les comédiens français du début du siècle apportaient au Québec les spectacles qui leur convenaient, le directeur des Compagnons choisit ses modèles et se charge du « monnayage de leur doctrine, dans son interprétation canadienne ».

Le milieu artistique se structure. Des institutions naissent, qui assurent la prise en charge de la vie artistique locale et la formation d'un public. La Société des concerts symphoniques est fondée en 1935, la Contemporary Art Society en 1939, les Amis de l'art en 1942. La jeune bourgeoisie, qui boudait les divertissements populaires de la rue Sainte-Catherine, se retrouve avec plaisir dans le réseau des salles collégiales qu'elle a fréquentées quelques années auparavant — celles du Plateau, de l'Ermitage, du Gesù –, avant d'être chez elle au Théâtre des Compagnons.

Il ne faudrait pas croire qu'en se tournant vers un répertoire humaniste le père Legault abandonne sa mission religieuse. Les intellectuels chrétiens regroupés autour de la revue *La Relève* reconnaissent la valeur spirituelle de l'art et le chemin continu qui va des valeurs de la foi à l'humanisme. Défini comme pratique artistique, le théâtre trouve enfin, aux yeux de l'Église et de la bourgeoisie intellectuelle, une légitimité sociale qui lui avait été refusée jusque-là. L'harmonie profonde du projet du père Legault avec le dynamisme intellectuel, social et religieux de l'époque est certainement l'une des clés de sa réussite.

Une série de mutations : d'amateurs à professionnels

Par leur conception même, leur mission chrétienne et l'orientation de leur répertoire, les Compagnons s'inscrivaient naturellement dans le milieu collégial et amateur. Pourquoi l'ont-il débordé jusqu'à devenir une jeune compagnie professionnelle ?

Les acteurs québécois, depuis toujours, apprenaient leur métier sur les planches. De ce point de vue, la scène des Compagnons était une école particulièrement riche par l'intensité, la variété et la régularité de ses activités. Sa plus grave lacune était sans doute l'absence de maîtres auprès de qui les jeunes comédiens et comédiennes auraient pu s'initier à l'art du jeu. L'intériorité du travail de l'acteur leur fut révélée par Ludmila Pitoëff – une comédienne d'origine russe qui s'est établie en France après la Première Guerre et réfugiée à Montréal pendant la Deuxième Guerre –, invitée à mettre en scène chez les Compagnons *L'Échange,* de Paul Claudel (1942), et par Robert Speaight qui fit la mise en scène de *Meurtre dans la cathédrale,* de T. S. Eliott (1950). Certains choisirent alors d'aller acquérir en France ou en Angleterre une formation moderne que le contact avec ces artistes leur avait fait entrevoir mais que nul ne pouvait leur offrir ici. La plupart, cependant, n'éprouvèrent pas le besoin de se satisfaire autrement que par l'expérience qu'apporte la pratique du métier.

L'avènement de la radio au début des années 1930 modifie profondément les conditions de vie des artistes de la scène. En même temps que la radio transforme automatiquement en professionnels ceux qu'elle emploie, elle offre aux comédiens un cachet inespéré dans le milieu théâtral. Plusieurs Compagnons y ont rapidement des contrats. Par ailleurs, des vedettes montantes de la radio viennent exercer leur talent sur la scène des Compagnons, reversant sur celle-ci leur crédibilité et leur popularité. À partir de 1949, les Compagnons obtiennent la reconnaissance professionnelle.

De la régie à l'unité du spectacle

Pour accéder à la modernité scénique, le théâtre canadien devait délaisser la simple direction technique du plateau pour accéder à l'unité du spectacle telle que l'avaient préconisée, au tournant du siècle, les réformateurs de la scène, le Russe Constantin Stanislavski et le Français André Antoine. La conception de la mise en scène et du jeu du directeur des Compagnons était liée au jeu dramatique, lui-même fondé sur le travail d'ensemble. La jeunesse de la troupe et la volonté du directeur d'en faire une équipe homogène justifient sa prédilection pour cette forme axée sur les mouvements de groupe, la souplesse corporelle, le mime, le masque. Ce style a fait le succès des Compagnons surtout dans la comédie, classique ou moderne : *Les Fourberies de Scapin,* de Molière, *Les Gueux au paradis,* de Martens et Obey, *Notre petite ville,* de Thornton Wilder. Par contre, les comédiens, sauf exception, ne réussissent pas à jouer la subtilité, ni les nuances. *On ne badine pas avec l'amour,* de Musset, *Le Jeu de l'amour et du hasard,* de Marivaux, et *L'Apollon de Bellac,* de Giraudoux, accusent les limites du travail des Compagnons. Pourtant, malgré les réserves dont attestent certaines critiques de l'époque, en dépit du regard hautain, parfois méprisant, que d'anciennes figures clés de l'équipe jettent aujourd'hui sur leur activité d'alors et sur leur directeur, on ne peut nier que Legault a donné aux spectacles l'unité qui est le propre d'une direction artistique. On peut critiquer ses choix et qualifier sa direction d'insuffisante, mais il a le mérite d'en avoir eu une, et c'est ce qui fit le succès des Compagnons.

De la précarité à la durée

La carrière des Compagnons représente un double exploit à une époque où les troupes « permanentes » passent comme des comètes et où les essais de renouvellement du répertoire se soldent régulièrement par des échecs. En plus de pouvoir compter sur l'appui d'un public de plus en plus nombreux et de pouvoir fonctionner, comme amateurs, à peu de frais (sauf dans les dernières années, les comédiens ne reçoivent pas de salaire), la troupe, grâce au parrainage des clercs de Sainte-Croix, bénéficie de ressources qui ont certainement favorisé sa durée. En tournée, les portes des collèges et des presbytères s'ouvrent pour les accueillir ; des maisons sont mises à leur disposition par des bienfaiteurs ou par la communauté de Sainte-Croix (qui, par ailleurs, a rendu possible l'achat de leur théâtre). Bref, le milieu ecclésiastique supplée en partie à l'absence de soutien étatique. Cependant, en 1952, quand les dépenses liées à l'achat et à l'entretien de son théâtre menacent la survie de la troupe, et que le gouvernement Duplessis lui refuse toute aide, la communauté décide de mettre fin aux activités de la troupe. Le rôle de relais de ces amateurs est terminé.

Les autres troupes

Les Compagnons de Saint-Laurent ne sont pas seuls sur les scènes montréalaises. Un théâtre professionnel, plus près des structures de celui des années 1930, se poursuit à l'Arcade, au Saint-Denis, au His Majesty's. Il mise, quand il le peut, sur les vedettes françaises qui viennent de New York, où la guerre les a déplacées.

Des troupes animées d'un esprit nouveau voient le jour. De jeunes comédiens que l'aventure des Compagnons a attirés mais dont la personnalité et l'initiative s'accommodent mal de la « règle » fondent leurs propres compagnies : Fernand Doré et Charlotte Boisjoli lancent, à Montréal, La Compagnie du masque ; Pierre Boucher, à Québec, Les Comédiens de la nef ; et Trois-Rivières abrite Les Compagnons de Notre-Dame fondés par Louis-Philippe Paisson. Pierre Dagenais, avec L'Équipe (1942-1947), présente au Monument-National et au Gesù des spectacles dont la qualité professionnelle et l'intérêt font l'unanimité de la critique. On applaudit les dons de metteur en scène de Dagenais, et son répertoire séduit. *Le Songe d'une nuit d'été,* présenté en 1945 dans les jardins de L'Ermitage, lui vaut de monter *King Lear* en anglais pour la Shakespeare Society. En 1946, Dagenais ose présenter au Gesù, une salle qui appartient aux jésuites, *Huis clos,* de Sartre, un auteur dont l'œuvre entière sera bientôt à l'index. Malgré son talent et son indépendance d'esprit (ou à cause de celle-ci), en dépit des succès qu'il connaît et des espoirs qu'il soulève, le directeur de L'Équipe ne réussit pas à maintenir l'équilibre financier d'une entreprise dont il est le bailleur de fonds, et il doit mettre fin à son aventure.

Gratien Gélinas

Pendant que le père Legault se donne pour mission de réformer la scène sur le modèle français, Gratien Gélinas, issu lui aussi du théâtre collégial, rêve pour le Québec d'un théâtre « d'inspiration et d'expression canadiennes ».

Peu après la fin de ses études au Petit Séminaire de Montréal, en 1928, Gratien Gélinas, qui travaille pour la compagnie d'assurances La Sauvegarde mais est passionné par le théâtre, participe à la fondation de la troupe des Anciens du collège de Montréal et joue dans presque tous leurs spectacles ; de plus, c'est à lui qu'il incombe d'adapter les textes pour ce groupe qui, comme les Anciens du collège Sainte-Marie, ne comprend que des hommes. On le retrouve, de 1933 à 1935, dans nombre de productions de la section française du Montreal Repertory Theatre, mais il joue aussi en anglais dans *The Merry Wives of Windsor,* de Shakespeare, où il est très apprécié de la critique. En 1934, il obtient ses premiers contrats de comédien à la radio. En 1937, il écrit les textes du *Carrousel de la gaieté,* où s'impose le personnage de Fridolin qu'il transporte l'année suivante à la scène et autour duquel il organise ses revues annuelles (1938-1947), un genre populaire qu'il renouvelle et auquel il redonne crédit et audience. Dans *Fridolinons 1945* apparaît un personnage et une situation, le départ du conscrit, dont il tirera sa première pièce.

Tit-Coq, *un succès national*

Le 22 mai 1948, *Tit-Coq* est créé au Monument-National et c'est l'euphorie. La critique titre : « *Tit-Coq,* de Gratien Gélinas, une grande œuvre » et « Naissance d'un théâtre canadien ». Prévue pour une dizaine de représentations, la pièce sera jouée près de 200 fois à Montréal. Devant l'ampleur du succès, Gélinas traduit son texte en anglais et le présente à Toronto où il est reçu avec enthousiasme. Puis, à l'invitation d'un producteur américain, *Tit-Coq* se rend à Broadway, avec un détour obligé par Chicago : à New York, c'est un fiasco ; à Chicago, la réaction est mitigée. Ce n'est pas seulement Gélinas et son équipe qui sont consternés et déçus, mais le Québec tout entier. Accueilli comme l'expression même d'une société, *Tit-Coq* avait spontanément dépassé son auteur pour devenir un bien national.

Tit-Coq, *une œuvre phare*

> La forme dramatique la plus pure – je ne dis pas la seule, mais bien la plus pure – serait celle qui représenterait le plus directement possible le public même auquel ce théâtre s'adresserait.
> Gratien Gélinas, « Pour un théâtre national et populaire »,
> *Amérique française*, 1949.

Admettons-le d'entrée de jeu : aux yeux du lecteur d'aujourd'hui, *Tit-Coq* possède un petit air suranné. Pourtant, seules quelques années séparent la pièce de *La Cantatrice chauve*, de Ionesco et d'*En attendant Godot*, de Beckett. « Chaque époque qualifie de moderne, au sens de "contemporain et novateur", ce qui, dans l'effort d'expression qui lui est propre, s'oppose à la tradition » ; chaque époque et, devrait-on ajouter, chaque culture. Gratien Gélinas rompt avec la production québécoise antérieure par ses qualités d'écriture, par l'univers qu'il met en scène et par le code théâtral qu'il met en jeu.

D'Œdipe à Mère Courage, les personnages de théâtre, plus vrais que nature, détachés des pièces qui les ont vus naître, constituent des références culturelles, des types humains que l'on veut croire universels. Avec Tit-Coq, le théâtre québécois possède son premier personnage. Qu'il soit un caractère impulsif relève de l'anecdote. Sa force tient à sa valeur symbolique. Bâtard dans une société dont le seul espace vital est la famille, il apparaît à l'orée de notre dramaturgie comme la première figure de l'exclusion et de la marginalité à travers laquelle les spectateurs se projetteront comme peuple.

La langue de la pièce constitue aussi un précédent. Dans une même culture, le niveau de langue est un indice de classe sociale et implique l'infériorité de ceux qui ne respectent pas la norme de la classe dominante. La cour de Louis XIV se gaussait des paysans de Molière, le *cockney*, l'argot trahissent ceux qui les utilisent. Mais au Canada français, l'écart par rapport à la norme de Paris est un trait distinctif de la collectivité tout entière et, s'il y a infériorité, nul ne peut s'y soustraire sans se renier. Quand Tit-Coq parle, c'est un Canadien français que l'on entend. Par son choix d'une langue orale et populaire, c'est-à-dire de la langue maternelle non corrigée par l'éducation, Gélinas rompt avec la scène française et fait du théâtre un outil de l'identité collective.

Comme les romans *Au pied de la pente douce,* de Roger Lemelin, et *Bonheur d'occasion,* de Gabrielle Roy, *Tit-Coq* se situe dans le présent et en milieu urbain, où vit la majorité des spectateurs. Mais la ville n'a pas encore profondément marqué ses personnages. Leurs racines sont à la campagne, leurs valeurs restent traditionnelles : la religion, la famille, la morale. La pièce ne les prône ni ne les critique ; elle en fait sa dynamique profonde. Un instant, Tit-Coq ose les défier, mais il y renonce aussitôt ; on ne saurait, sans se détruire soi-même, vivre en dehors des valeurs dominantes dans le Québec de 1950, à moins d'avoir la force des signataires de *Refus global.* L'histoire cependant s'accélère : s'il est le premier, ce héros restera le seul qui aspire aux valeurs traditionnelles.

Pour la première fois, malgré quelques faiblesses de la composition et de certains caractères, un auteur maîtrise suffisamment le code dramatique et son œuvre est assez significative pour passer au répertoire.

Une pratique qui s'affirme

Le succès de *Tit-Coq* est aussi l'affirmation d'une esthétique scénique. Pendant que, chez les Compagnons, on pratique l'épuration des tréteaux dans une lutte implacable contre le réalisme, Gélinas fait applaudir ce dernier sur la vieille scène du Monument-National. La critique souligne la maîtrise technique du metteur en scène en faisant explicitement référence à Broadway, indiquant nettement la persistance de l'influence de la scène américaine dans le code théâtral québécois. Réalisme de la mise en scène, naturel du jeu chez les vétérans de la scène canadienne Fred Barry et Albert Duquesne et chez les comédiennes Amanda Alarie et Juliette Béliveau, entourés de jeunes qui ont échappé à l'attraction des Compagnons.

Gélinas, comme tous les directeurs de théâtre de l'époque, doit faire face aux règles intransigeantes du théâtre commercial. Mais, alliant financement et direction artistique, il se donne pour but de vivre du théâtre qu'il veut faire et non de faire n'importe quel théâtre pour assurer les recettes. Soumis aux lois du marché, il modifie la pratique. Au lieu de multiplier les spectacles pour faire revenir le même public, il tente la formule de Broadway : épuiser avec une même pièce tout le public potentiel. *Tit-Coq* sera joué pendant près de trois ans, traduit et présenté en anglais avec la même distribution ; portée à l'écran en 1953 par son auteur-producteur, l'œuvre deviendra l'un des succès du jeune cinéma québécois.

Auteur qui fonde sa propre troupe pour défendre ses textes, Gélinas annonce l'itinéraire obligé de beaucoup de dramaturges qui, contraints par les préférences des directeurs artistiques des années 1950 pour les valeurs sûres du répertoire français et étranger, devront assurer eux-mêmes la création et la diffusion de leurs textes.

Pour un théâtre populaire et national...
Oui, mais lequel ?

Tant Legault que Gélinas ont contribué à l'émergence d'un théâtre professionnel québécois. Leurs pratiques et leurs écrits mettent en jeu deux concepts importants, celui de théâtre populaire et celui de théâtre national, qu'ils revendiquent tous deux dans des interprétations antagonistes.

La définition d'Émile Legault

Le rêve d'un théâtre s'adressant à l'ensemble du peuple, toutes classes sociales confondues, anime certains réformateurs du théâtre français du début du siècle.

Encore faut-il trouver le dénominateur commun auquel communieraient l'ensemble des spectateurs. Certains le voient dans la foi et tentent de ressusciter, en le modernisant, le théâtre médiéval. C'est d'eux que se réclame d'abord Legault avec *Celle qui la porte fit s'ouvrir,* du jésuite Louis Barjon, *Noël sur la place* et *Mystère de la messe,* de Henri Ghéon.

La dramaturgie classique française du XVIIe siècle, avec ses prétentions à l'universel, apparaît aussi comme un point de rencontre théorique pour les hommes de toutes les couches sociales. Les Compagnons se tournent rapidement vers cette conception du théâtre populaire tout en restant attachés au théâtre médiéval. Mais au Québec, où plus de la moitié des citoyens n'ont pas achevé le cours primaire, le public populaire et large que touchaient les drames religieux fond comme neige au soleil quand il s'agit d'apprécier un répertoire ancré dans la culture savante. Seule reste, pour goûter ces spectacles, la bourgeoisie instruite, peu nombreuse. Legault, qui affirmait en 1938 : « il ne saurait [...] exister deux théâtres, [...] l'un pour la masse et l'autre pour les délicats », a créé, dans les faits, deux publics. Ce qui les réunirait peut-être, il le sait bien, c'est un répertoire national. Dans les *Cahiers des Compagnons,* le directeur définit les normes auxquelles devrait répondre la dramaturgie locale : « on veut susciter un répertoire authentiquement canadien qui soit de la bonne veine : poésie, rythme, style. » Ce répertoire, il le rêve ancré dans les traditions, le folklore, les légendes. Et, toujours en arrière-plan, se profile la culture française et catholique : « Je rêve d'un Molière canadien qui aurait la densité de Claudel et son audience auprès des grandes réalités. » Posée au plus haut, cette barre, plus ou moins reconnue, plus ou moins avouée, servira de référence aux directeurs artistiques des années 1950 pour refuser les pièces proposées par les auteurs du cru.

La conception de Gratien Gélinas

Le théâtre québécois, s'il veut exister, doit être national et populaire, affirme lui aussi Gratien Gélinas, en 1949, à l'Université de Montréal qui lui décerne un doctorat *honoris causa* pour marquer l'importance de *Tit-Coq* dans le développement du théâtre au Québec. La naissance d'un théâtre d'ici exige d'abord une rupture radicale : « Pas plus au théâtre qu'ailleurs, on ne peut compter sur la littérature de la France pour nous représenter. » L'union de la salle et de la scène, qui est l'essence même de l'acte théâtral, ne peut se réaliser pleinement qu'entre « un auteur et un public de la même essence, de la même souche, du même passé, du même présent et du même avenir ». À la communion dans la foi ou aux valeurs universelles est substituée la reconnaissance d'une époque et d'une société. Dans cet effet de miroir, la langue, affranchie de la norme, est solidaire du public : « Changez la langue du public et [le] texte se modifiera automatiquement dans le même sens. »

> La forme doit être transparente : « La pièce la mieux faite est celle dont on oublie qu'elle est bien faite [...] la meilleure mise en scène est celle dont le spectateur n'a pas conscience tellement elle semble naturelle et inévitable [...] le plus beau comédien est celui qui nous fait oublier qu'il joue bien, pour ne nous intéresser qu'au personnage qu'il incarne. »

Cette conception d'un théâtre national et populaire, Gratien Gélinas continuera de la défendre vigoureusement contre la conception d'un théâtre universel et intemporel qui prévaudra jusqu'aux années 1970 au Québec.

Et la modernité ?

Avec Émile Legault et Gratien Gélinas, le théâtre est-il entré dans la modernité de la pratique et de l'écriture théâtrales ? Si on le compare aux arts plastiques qui, avec *Refus global,* s'inscrivent résolument, en 1948, dans les courants modernes, le théâtre qui se développe dans les mêmes années est largement en retard sur le renouveau théâtral européen et américain. Cependant, compte tenu de la pratique locale antérieure, celles de Gélinas et de Legault marquent une rupture déterminante. L'ouverture à une modernité relative s'accompagne d'une appropriation, par une petite partie de la société québécoise, du fait théâtral ainsi que de son inscription dans la vie culturelle collective. Comme tout art de la scène, le théâtre a besoin de la participation du public pour se développer : Gratien Gélinas et Émile Legault ont réussi à lui donner ce public.

Chapitre III

L'implantation du théâtre professionnel (1948-1968)

> Il faut que le théâtre occupe la place
> qu'il mérite dans la cité.
>> Théâtre du Nouveau Monde,
>> Programme de *L'Avare*, 1951.

Les années 1950 voient enfin l'implantation d'un théâtre professionnel canadien-français et d'une tradition dramatique. De 1951 à 1968, une douzaine de compagnies assurent une activité continue et diversifiée soutenue par un public au goût encore très conservateur. La référence du théâtre français est présente dans le répertoire, classique, léger ou d'avant-garde, et dans la façon de jouer. Seul Gratien Gélinas, avec la fondation de la Comédie-Canadienne, en 1958, fait de la création d'une dramaturgie canadienne-française la condition d'existence d'un théâtre national. Par ailleurs, les pouvoirs publics, qui jusque-là n'ont pas cru bon de s'intéresser au développement du théâtre, vont se doter d'organismes de soutien et d'intervention.

Un théâtre inspiré de modèles français (1948-1958)

La guerre terminée, quelques comédiens partent se perfectionner en France et s'y retrouvent bientôt sur des scènes importantes : Jean Gascon à La Compagnie Grenier-Hussenot, Jean-Louis Roux à la Comédie des Champs-Élysées, Guy Provost et Denise Vachon au Théâtre national populaire. Yvette Brind'amour s'inscrit chez René Simon et Charles Dullin ; Monique Lepage fait des stages à New York. Mais la trentaine d'artistes professionnels qui forment le réservoir d'acteurs et d'actrices capables de soutenir le répertoire selon les normes parisiennes brûlent de se retrouver sur les scènes québécoises.

En 1948, Yvette Brind'amour et Mercedes Palomino fondent le Théâtre du Rideau Vert qui présente, chaque saison pendant sept ans (sauf en 1953-1954), une ou deux pièces, principalement des succès parisiens. La compagnie risque aussi quelques pièces plus modernes avec, entre autres, Anouilh et Giraudoux, et ose des créations canadiennes. *Sonnez les matines,* de Félix Leclerc (1955), connaît le succès, avec 15 000 spectateurs. Après avoir joué au Théâtre des Compagnons puis au Gesù, le Rideau Vert emménage en 1955 au Théâtre Anjou (90 places) où, après quelques saisons de comédies légères, il se tourne de nouveau vers le répertoire moderne.

En 1951, Jean Gascon, Jean-Louis Roux, Éloi de Grandmont, Georges Groulx et Guy Hoffman fondent le Théâtre du Nouveau Monde (TNM). Dans le programme de leur premier spectacle, *L'Avare,* ils déclarent :

> Notre ambition [...] présenter au public des spectacles dont les seuls soucis soient d'ordre professionnel et artistique, et [...] éliminer les risques qui s'attachent habituellement à ces sortes d'entreprises, par le fait de leur caractère éphémère. Il fallait donc [...] obtenir l'appui de mécènes dont les vues puissent s'assimiler aux nôtres. [...] Nous contribuerons [...] avec les efforts conjugués des autres troupes [...] à l'établissement d'un théâtre canadien.

Désireux de jouer un rôle déterminant dans l'implantation du théâtre au Canada et conscients des échecs de leurs prédécesseurs, les fondateurs choisissent une structure administrative différente, celle de l'entreprise privée de grande envergure avec conseil d'administration et endosseurs, et de faire du lobby auprès de personnalités influentes francophones et anglophones de Montréal et d'ailleurs au Canada. Dans cette formule, le théâtre cesse d'être une pure entreprise commerciale ou un rêve d'artistes vite brisé par la faillite ; il apparaît comme une responsabilité sociale assumée par des artistes, lesquels sont soutenus par des citoyens intéressés au développement artistique de la cité. Par cette nouvelle forme de gestion, le TNM va chercher le soutien de la bourgeoisie qui avait jusque-là manqué au théâtre canadien-français et se pose ainsi, le premier, comme une institution sociale.

Le 9 octobre 1951, le rideau du Gesù s'ouvre sur *L'Avare,* de Molière, auteur dont les farces comptent parmi les plus grands succès des Compagnons. La réponse de la presse et du public est immédiate : plus de 15 000 personnes voient le spectacle. Entre 1952 et 1958, le TNM présentera quatre Molière – ses plus grands succès – et des comédies contemporaines avec quelques incursions dans l'œuvre des Montherlant, Tchekhov et Claudel. Les auteurs canadiens apparaissent en 1954 avec *La Fontaine de Paris,* d'Éloi de Grandmont, et *Une nuit d'amour,* d'André Langevin. La saison 1957-1958 met à l'affiche *L'Œil du peuple,* d'André Langevin, lauréat du Concours de la pièce canadienne, organisé par le TNM ; suivront, en 1959, *Les Taupes,* de François Moreau et, en 1961, *Deux Femmes terribles,* d'André Laurendeau. Mais faute d'intérêt de la part du public, le Concours est bientôt abandonné.

Le TNM veut reprendre la politique d'un théâtre bilingue que le Montreal Repertory Theatre avait pratiquée dans les années 1930 : The New World Theatre produira, de 1955 à 1959, au moins un spectacle en anglais chaque saison : *Come Back Little Sheba,* d'Inge, *Montserrat,* de Roblès, *The Trial,* d'après Kafka, *The Glass Menagerie,* de Tennessee Williams, et *Long Day's Journey into Night,* d'Eugene O'Neill. L'expérience sera abandonnée, le public ne répondant pas assez nombreux.

Dès 1955, pour s'inscrire dans le réseau européen du théâtre, le TNM sollicite une invitation à présenter trois farces de Molière dans le cadre du Festival international du théâtre à Paris. Le spectacle, qui comprend *Le Mariage forcé, La Jalousie du barbouillé* et *Sganarelle,* connaît le succès.

Deux ans après la fondation du TNM, Monique Lepage et Jacques Létourneau lancent la Compagnie canadienne du Théâtre-Club (1953-1965) : « Nous désirons présenter des pièces nouvelles, inédites ici, autant que possible contemporaines, canadiennes ou étrangères, dignes d'être révélées. »

En janvier 1954, le Théâtre-Club présente *Beau sang,* de Jules Roy, à l'école D'Arcy-McGee. Après quelques spectacles, les fondateurs, qui souhaitent un public plus nombreux et une salle plus prestigieuse, délaissent le répertoire contemporain pour *La Nuit des rois,* de Shakespeare, et la « salle d'école » pour le Gesù. L'accueil chaleureux de la critique et du public confirme la qualité du travail et la pertinence de cette nouvelle compagnie. Mais le Gesù, seule salle convenable à Montréal, louée par le TNM, ne peut accueillir d'autres troupes qu'occasionnellement. Lepage et Létourneau emménagent donc dans un ancien théâtre anglophone de 225 places, rue Saint-Luc (aujourd'hui boulevard de Maisonneuve Ouest), avec une programmation éclatée, allant de la comédie au théâtre pour enfants.

En 1955, Paul Buissonneau, employé de la Ville de Montréal et animateur de La Roulotte, met sur pied une troupe, le Quat'Sous. Dans le cadre du concours 1955 du Festival national d'art dramatique, il présente *Orion le tueur,* qui gagne le trophée du meilleur spectacle. Même chose l'année suivante avec *La Tour Eiffel qui tue.* La troupe continue dans la veine des comédies fantaisistes contemporaines françaises avec *Les Oiseaux de lune,* de Marcel Aymé (1958), et *La Bande à Bonnot,* d'Henri François Ré (1959). Sans domicile fixe, elle erre de salle en salle avec son spectacle annuel, disparaît de 1960 à

1963, puis revient dûment incorporée, et propriétaire d'une ancienne synagogue, avenue des Pins, qu'elle réaménage en un joli théâtre de 160 places, inauguré en 1965.

Intervention de l'État : phase 1

Les pouvoirs publics sortent de leur réserve au milieu des années 1950 en mettant de l'avant deux initiatives : la création du Conservatoire d'art dramatique par le gouvernement du Québec, et l'instauration du Conseil des arts de la Ville de Montréal, premier organisme de soutien financier aux compagnies de théâtre.

Le Conservatoire : du papier à la réalité

En 1950, il n'y a encore aucune école publique de formation pour les comédiens, sauf le Conservatoire Lassalle, qui offre des cours du soir en élocution et en art dramatique. Le Québec a bien institué, en 1942, un Conservatoire de musique et d'art dramatique, mais seule la section de musique, sous la direction de Wilfrid Pelletier, dispense des cours. Pour suppléer à l'absence d'école professionnelle, plusieurs professeurs proposent, dans les années 1940 et 1950 des leçons de groupe aux enfants et aux jeunes qui aspirent à devenir comédiens. La plus célèbre de ces écoles privées est celle de Mme Jean-Louis Audet, une ancienne élève du Conservatoire Lassalle, qui formera plusieurs générations de comédiennes et de comédiens et les initiera très tôt à la radio et à la scène.

Les jeunes artistes, pour leur part, se regroupent autour de maîtres européens de passage – la comédienne russe Ludmila Pitoëff, le metteur en scène balte Gaston Marist – ou encore autour de comédiens d'origine étrangère intégrés au milieu montréalais du théâtre – Henri Norbert, Tania Fedor, François Rozet. Le père Legault, en 1948, avec l'École des Compagnons, tente de prendre en charge la formation des comédiens dans un programme complet, mais doit renoncer à son projet au bout d'une année. Le TNM, dès sa deuxième année d'existence, s'empresse, à son tour, d'ouvrir une école.

En 1955, le gouvernement du Québec se laisse convaincre d'ouvrir enfin la section d'art dramatique du Conservatoire et d'en confier la direction à Jan Doat, homme de théâtre français dont la mise en scène de *Jeanne d'Arc au bûcher* (musique d'Arthur Honneger, texte de Paul Claudel), présentée en 1953 dans le cadre des Festivals de Montréal, avait beaucoup impressionné le milieu montréalais. Sur le modèle des écoles européennes, l'apprentissage du théâtre dure trois ans et s'adresse à des candidats, garçons et filles de 17 à 23 ans, acceptés sur audition, et dont le nombre est limité à une dizaine ; comme dans les autres écoles publiques, l'enseignement y est gratuit. La diction française et l'interprétation du répertoire classique sont au centre de cette formation, mais Jan Doat laisse une place importante à l'expression corporelle. L'année suivante, Jean Valcourt, sociétaire de la Comédie-Française, en prend la direction. Le Conservatoire se modèle alors sur celui de Paris. En 1958, une section est ouverte à Québec ; outre les classes d'interprétation, on y offre des cours de scénographie. Après quelques années, le Conservatoire de Québec acquiert son autonomie.

Le Conseil des arts de la région métropolitaine (1956)

La deuxième intervention des autorités publiques revient à la ville de Montréal. À l'initiative du maire Jean Drapeau, la ville décide de promouvoir et de soutenir le développement culturel sur son territoire. Pour ce faire, elle veut doter Montréal d'une salle de prestige et crée, à cet effet, la Corporation du centre Sir-Georges-Étienne-Cartier. Elle institue aussi le Conseil des arts de la Ville de Montréal. L'organisme, le premier du genre au Canada, a pour mandat d'aider au développement culturel par l'octroi de subventions et de soutenir la Corporation du centre Sir-Georges-Étienne-Cartier.

Un théâtre pour promouvoir la dramaturgie canadienne-française : la Comédie-Canadienne (1958-1970)

Gratien Gélinas, dont le *Tit-Coq* avait fait lever l'espoir d'une dramaturgie nationale, rêve d'un lieu de création pour les œuvres canadiennes. Fort de son immense popularité et conscient des attentes du public, il réussit à convaincre la Brasserie Dow d'acheter et de rénover le Gayety, rue Sainte-Catherine, pour en faire le théâtre le plus moderne du Canada : la Comédie-Canadienne. Entre 1958 et 1961, 11 créations se succèdent dont *Un simple soldat* (1958), *Florence* (1960) et *Bilan* (1960), de Marcel Dubé, *Bousille et les justes* (1959), de Gratien Gélinas, et *Le Cri de l'engoulevent* (1960), de Guy Dufresne. Y seront également créés *Les Beaux Dimanches* (1965), *Le Retour des oies blanches* (1966) et *Un matin comme les autres* (1968), de Marcel Dubé, *Les Temples* (1965), de Félix Leclerc, et *Hier les enfants dansaient* (1966), de Gratien Gélinas. Le public fréquente avec enthousiasme ce théâtre qui veut favoriser l'accessibilité par des prix variés et abordables et des représentations qui ont lieu à 19 h 30 afin de prendre en compte les contraintes des banlieusards et des travailleurs.

Mais, pour survivre, la Comédie-Canadienne doit pouvoir compter sur des succès à la chaîne, une exigence incompatible avec une politique de création. Gélinas essaie de pallier le problème en louant son théâtre et en y accueillant des chansonniers. Malgré l'espoir soulevé par l'engagement exceptionnel de la province au moment de sa fondation – un octroi de 25 000 $ pendant les quatre premières années –, la Comédie-Canadienne sera défavorisée par le système des subventions aux théâtres qui se met en place à la fin des années 1950. De 1958 à 1970, alors que, des trois ordres de gouvernement, le TNM reçoit 2 246 000 $ et le Rideau Vert, 1 497 000 $, la Comédie-Canadienne n'a droit qu'à 688 000 $. L'État a choisi de privilégier le théâtre inspiré du modèle français, et la Comédie-Canadienne est réduite au rôle secondaire de soutien à la production locale. Gélinas multiplie les démarches et les propositions, mais le

Conseil des Arts du Canada (institué en 1956) et le ministère des Affaires culturelles du Québec (créé en 1961) font la sourde oreille. En 1970, la Comédie-Canadienne est acculée à la faillite. Si Gélinas n'a pas gagné son pari, il a développé, chez une partie du public, le désir de voir des textes canadiens, en même temps qu'il a stimulé l'intérêt des auteurs pour l'écriture dramatique.

Intervention de l'État : phase 2

La commission d'enquête Massey-Lévesque sur l'avancement des arts, des lettres, des sciences et des universités, créée en 1951 sur le modèle du British Council, recommande l'institution d'un organisme fédéral pour construire « une identité nationale canadienne » par des subventions à l'enseignement postsecondaire, au perfectionnement de la main-d'œuvre, aux organismes artistiques et aux artistes, et ce, en dépit de la juridiction provinciale sur l'éducation et son prolongement, la culture.

Dès son arrivée à la tête du gouvernement canadien en 1956, Lester B. Pearson donne suite à ces recommandations et crée *The Canada Council*/le Conseil des Arts du Canada, avec une dotation de 100 millions de dollars.

En 1960, au lendemain de son élection à la tête du gouvernement du Québec, Jean Lesage demande à Georges-Émile Lapalme de mettre sur pied un ministère des Affaires culturelles avec, à titre de sous-ministre, l'historien Guy Frégault. Dès lors, le milieu des arts et l'État deviennent un tandem indissociable. Même sans politique artistique clairement énoncée, les choix des organismes subventionnaires interviendront dans le développement du théâtre et l'orienteront. Par ailleurs, Ottawa et Québec prennent conscience en même temps du rôle de la culture et des arts dans la formation d'une identité nationale, et misent tous deux sur le théâtre comme un moyen d'y parvenir.

Les subventions aux compagnies

À sa première année d'exercice, en 1957, le Conseil des Arts du Canada subventionne une seule compagnie au Québec, soit le Théâtre du Nouveau Monde, qui reçoit 30 000 $; le Conseil des arts de la Ville de Montréal n'accorde, lui aussi, qu'une seule modeste subvention, soit 6 000 $, au Montreal Repertory Theatre, devenu une compagnie professionnelle l'année précédente. Dès la deuxième année, l'organisme fédéral partage 103 000 $ entre trois compagnies québécoises (le TNM, la Comédie-Canadienne et le Montreal Repertory Theatre) et le Conseil des arts de la Ville de Montréal distribue un total de 77 000 $ à cinq théâtres.

En 1961, les premières subventions du ministère des Affaires culturelles (95 000 $) sont accordées à neuf compagnies, alors qu'Ottawa et Montréal soutiennent respectivement huit et sept théâtres, auxquels ils distribuent un total de 99 500 $ et de 75 000 $. Six ans plus tard, en 1967-1968, les 15 groupes subventionnés se partagent un million de dollars, versés à parts égales par Ottawa et Québec.

The National Theatre School of Canada/ L'École nationale de théâtre du Canada

Le Dominion Drama Festival plaide auprès du Conseil des Arts du Canada la nécessité de créer une école de théâtre canadienne et la souhaite bilingue pour favoriser le rapprochement des « deux solitudes ». La National Theatre School of Canada/l'École nationale de théâtre du Canada comportera donc une section anglaise et une section française et sera située à Montréal. Créée sur le modèle de la Old Vic Theatre School of London, fondée par Michel Saint-Denis, elle s'inspire du renouveau théâtral préconisé par Jacques Copeau, dont Saint-Denis est le neveu et le disciple. Le renouveau de la formation française atteint donc le Québec par l'intermédiaire de Londres. Jean Gascon, directeur du TNM, assume la direction générale de l'école ; la section anglaise est confiée à Powys Thomas, un comédien irlandais formé par Michel Saint-Denis à la Old Vic School et qui, depuis 1956, joue à Stratford (Ontario), et Jean-Pierre Ronfard est appelé de France à la direction de la section française. Le 2 novembre 1960, Michel Saint-Denis inaugure l'école par ces mots : « I declare The National Theatre School ouverte. »

Être comédien, décorateur ou technicien du théâtre est désormais un métier reconnu, et la formation des praticiens est soutenue par l'État comme toute autre formation professionnelle.

Dans le même esprit, à l'occasion du centenaire de la Confédération, le gouvernement fédéral fonde, à Ottawa, le Centre national des arts (CNA). La Stratford Festival Company assure la production anglophone tandis qu'on met sur pied, sous la direction de Jean-Guy Sabourin, une compagnie francophone, composée surtout d'artistes montréalais, le Théâtre du Capricorne (1969-1970). Parmi les pièces que le Capricorne présente, on retiendra *En attendant Godot,* de Samuel Beckett. Par la suite, on favorise plutôt des coproductions ave des compagnies québécoises. Se succèdent à la direction du Théâtre français Jean Herbiet, André Brossard et Robert Legage.

Un paysage qui se diversifie (1958-1968)

Au tournant des années 1960, le nombre de compagnies montréalaises double, et de petits théâtres apparaissent. Québec s'anime à son tour, et dans plusieurs régions, entraînés par l'effervescence de la Révolution tranquille, des animateurs mettent sur pied des troupes locales et prennent en charge des tournées. Les artistes de la scène s'organisent en groupes de pression pour développer et défendre une profession qui se complexifie.

Vers un statut institutionnel

Dans la perspective du biculturalisme et du nationalisme canadien, le TNM, en 1958, tente d'obtenir une reconnaissance institutionnelle semblable à celle du Stratford Festival. Ce dernier a troqué, dès 1957, la tente qu'il a utilisée au cours de ses quatre premières saisons contre un véritable théâtre, équipé d'une scène élisabéthaine et vite devenu un modèle du genre. Le Conseil des Arts du Canada accorde au TNM des subsides importants pour une tournée internationale avec *Le Malade imagi-*

naire et trois farces de Molière, et *Le Temps des lilas,* de Marcel Dubé, alors la figure dominante du théâtre au Québec. Le TNM se rend d'abord à New York, puis se produit à Bruxelles, à Anvers, à Ostende et à Paris. La critique loue « la jeunesse, le mouvement vif et le jeu joyeux des comédiens » du Molière. Quant au *Temps des lilas,* l'accueil est réservé. De retour au pays, la troupe présente *Le Malade* à Stratford et poursuit avec une tournée transcanadienne où elle crée la version anglaise du *Temps des lilas.* Bilan : 94 représentations dans 20 villes et un déficit de 35 000 $. Après un travail d'une telle envergure, les fondateurs doivent pourtant faire face à une autre réalité. On ne leur accorde toujours pas la salle qu'ils espèrent ni le statut institutionnel qui en ferait le pendant francophone de Stratford. En 1963, après 12 ans d'efforts, découragé devant l'indifférence générale, Jean-Louis Roux, secrétaire général du Nouveau Monde, se retire. Jean Gascon quitte la direction artistique à la fin de la saison 1965-1966 et devient, l'année suivante, codirecteur artistique à Stratford.

Après trois ans d'absence, Jean-Louis Roux revient et prend la barre en donnant à la compagnie une orientation inspirée du Théâtre national populaire de Jean Vilar. On vise à rejoindre les masses ouvrières en mettant à l'affiche un répertoire aux résonances sociales. *Qui a tué Joe Hill ?,* de Barrie Stavis, devient le fer de lance de cette nouvelle mission, mais le public visé ne répond pas. Avec une salle occupée en moyenne à 31 %, le TNM revient au répertoire traditionnel et à Molière. Bien que les subventions augmentent, elles ne répondent toujours pas aux standards que la compagnie s'est fixés.

Le Théâtre du Rideau Vert, en 1960-1961, emménage dans l'ancien Théâtre Stella et développe une formule peu mise de l'avant jusque-là, l'abonnement à tous les spectacles de la saison. Le répertoire se compose surtout de comédies divertissantes ; durant la période des fêtes et en avril-mai, au moment des séries éliminatoires de la Ligue nationale de hockey, on sollicite un autre public en mettant à l'affiche des auteurs du grand répertoire : Molière, Claudel, Calderón, Tchekhov.

À son tour, en 1965, le Rideau Vert part en tournée à Moscou, à Leningrad et à Paris, avec *L'Heureux Stratagème*, de Marivaux, *Le Songe d'une nuit d'été*, de Shakespeare, et *Une maison... un jour...*, de Françoise Loranger, applaudie à Moscou mais peu appréciée à Paris.

Le Théâtre-Club reste fidèle pour l'essentiel à son manifeste de départ et monte des comédies contemporaines de Valentin Kataëv, d'Audiberti, de Diego Fabri, d'André Roussin et de Montherlant. Il met sur pied le Studio d'essai, des matinées en coproduction avec la Comédie-Canadienne (1959) et fonde, pour le jeune public, le théâtre des Mirlitons ; il accueille le groupe Centre Théâtre, Jacques Languirand et ses *Violons de l'automne*, et des récitals de chant. Mais l'antinomie entre le public averti et le grand public n'est pas résolue. En 1961, la compagnie loue la Comédie-Canadienne et présente, entre autres, *Caligula* et *Requiem pour une nonne*, de Camus, mort l'année précédente, et *Le Marchand de Venise*, de Shakespeare. En 1965, les organismes subventionnaires lui refusent toute aide sans donner de raison. Il ne reste plus au Théâtre-Club, avec 35 000 $ de dettes, qu'à déclarer faillite. Monique Lepage et Jacques Létourneau s'y refusent et remboursent personnellement leurs créanciers.

La Nouvelle Compagnie théâtrale (NCT), fondée par Gilles Pelletier, Georges Groulx et Françoise Gratton en 1964, s'installe au Gesù et propose aux élèves des œuvres importantes du répertoire universel : Racine, Molière, Shakespeare, Sophocle, Eschyle. La NCT prend donc la relève des matinées classiques du Théâtre-Club. Durant les cinq premières saisons, la fréquentation passe de 32 000 à 85 000 spectateurs, principalement des élèves.

Le Théâtre international de Montréal (1958-1982), sous la direction de Jeanine Beaubien, présente des spectacles professionnels en français et en anglais et des spectacles d'amateurs en allemand et en espagnol. La programmation est volontairement éclectique. Une production s'impose : *Qui a peur de Virginia Woolf?*, d'Edward Albee (1966), avec Monique Lepage et Paul Hébert dans les rôles principaux.

Le Théâtre de Quat'Sous, maintenant chez lui, continue de privilégier la comédie contemporaine française mais donne aussi une large place à la comédie américaine.

Le théâtre d'avant-garde

En même temps que le Rideau Vert, le TNM, le Théâtre-Club et le Théâtre de Quat'Sous assurent, chacun selon ses politiques artistiques, la présentation du grand répertoire ou celle de la comédie contemporaine, des groupes professionnels et non professionnels naissent, axés sur des formes moins conventionnelles, sur des visions du monde plus troublantes, sur un répertoire plus audacieux, et en particulier sur le théâtre d'avant-garde qui étonne Paris depuis l'après-guerre 1939-1945. Inconnu, déroutant, ce répertoire ne peut attirer qu'un public restreint : la formule du théâtre de poche s'impose donc, comme à Paris, à Londres ou à New York. Bien qu'elles se réclament de l'avant-garde au sens large, ces troupes dessinent une silhouette originale.

Le choc est donné par *La Leçon,* de Ionesco, au théâtre de l'Amphitryon (1955), dirigé par Guy Messier et Patrick Antoine, avec les comédiens français Jacques Mauclair et Jacques Dufhilo, et la jeune Dyne Mousso. Le Théâtre Anjou, théâtre de poche créé par Paul Hébert et voué au théâtre de boulevard, accueille *Les Insolites* (1956), une comédie burlesque de Jacques Languirand. Le Théâtre de Dix Heures (1956-1958), fondé par Jacques Languirand, déroute avec *En attendant Godot,* de Samuel Beckett, jouée par Albert Millaire et François Guillier. Les Apprentis-Sorciers (1956-1968), une troupe non professionnelle, créent à leur salle, La Boulangerie, durant leurs six premières saisons, *Fin de partie,* de Beckett, *Les Chaises, La Cantatrice chauve, Jacques ou la Soumission, L'avenir est dans les œufs,* et *Amédée ou Comment s'en débarrasser,* de Ionesco, en plus de jouer des œuvres de Ghelderode, de Synge, de Lorca, de Claudel, de Brecht, de Gorki et de Dürrenmatt. Après *Au cœur de la rose,* de Pierre Perrault (prix du Gouverneur général, 1962), ils présentent, du même auteur, *C'est l'enterrement de Nicodème, tout le monde est invité* au Festival mondial du théâtre amateur de Monaco (1965).

En 1959, La Boulangerie accueille *Une femme douce,* de Dostoïevski, premier spectacle de L'Égrégore, fondé par Françoise Berd (1959-1968). Par la suite, L'Égrégore créera, dans son théâtre, *Le Pélican* (1960), de Strindberg, *Magie rouge* (1961), de Ghelderode, *Qui est Dupressin?* (1961), de Gilles Derome, une pièce canadienne de facture moderne, puis des pièces de Jarry, de Tchekhov, d'O'Neill et, en 1963, *Api 2967,* de Robert Gurik.

Les Saltimbanques (1962-1968), une troupe de non-professionnels issue des Apprentis-Sorciers, s'installent dans le Vieux-Montréal et défendent les auteurs français d'avant-garde : Gatti, Cousin, Vian, Arrabal, Weingarten. Au Festival des jeunes compagnies, durant Expo 67, ils présentent *Équation pour un homme actuel,* de Pierre Moretti : le spectacle est interdit par la police de Montréal sous prétexte d'atteinte à la moralité publique. Le Mouvement contemporain (1965-1968) monte, à l'initiative d'André Brassard, *Fando et Lis,* d'Arrabal, tient un festival Beckett et crée les premières œuvres de Michel Tremblay : *Cinq* et *Contes pour buveurs attardés.* Le Théâtre des Auteurs (1960), dirigé par Marcel Sabourin, et le Centre Théâtre (1961) ont des existences éphémères ; les premiers créent des œuvres inédites de Jacques Ferron : *Le Dodu, Le Licou* et *L'Ogre* ; le dernier attire l'attention avec *Tueur sans gages,* de Ionesco.

Le Théâtre de l'Estoc (1957-1967), sous la direction de Jean-Louis Tremblay, d'André Ricard et de Paul Buissières, regroupe les meilleurs comédiens et comédiennes de Québec et présente des saisons complètes où l'on retrouve *Les Insolites,* de Languirand (1959), *Éléonore,* de Marie-Claire Blais (1959), *La Cantatrice chauve,* de Ionesco (1962), *Les Bonnes,* de Genet (1963), et *Le Journal d'un fou,* de Gogol (1963). Par la suite, il monte des œuvres de Tardieu, de Strindberg, d'Obaldia, et de Brecht, de même que des auteurs canadiens et québécois : Roger Huard, Claude Jasmin, Jacques Duchesne, Marcelle McGibbon, Jean O'Neil et Andrée Maillet.

Le théâtre hors des grands centres : troupes locales et tournées

La fièvre du théâtre gagne les régions. Des groupes se forment un peu partout : au Saguenay—Lac-Saint-Jean, La Marmite, de Ghyslain Bouchard ; à Sherbrooke, L'Union théâtrale, de Lionel Racine, et L'Atelier, de Roger Thibault et de Pierre Gobeil ; à Ottawa-Hull, le Théâtre des Deux Rives, de Jean Herbiet, Le Grenier, de Jean Belleau ; à Saint-Hyacinthe, Le Donjon, dirigé par Claude Grisé. Chaque année, l'une ou l'autre de ces troupes participe au Festival national d'art dramatique et s'y fait remarquer.

L'été, une saison où l'on faisait jusque-là relâche, voit fleurir des théâtres dans un cadre champêtre. Paul Hébert s'installe au Chantecler, à Sainte-Adèle, en 1954 et y présente *La Mégère apprivoisée,* de Shakespeare, et *Six personnages en quête d'auteur,* de Pirandello ; le Centre d'art de L'Estérel, le Festival de Sainte-Agathe suivent. Mais le répertoire est vite délaissé. Une tradition de pièces légères s'instaure rapidement. Du Théâtre de la Fenière (1957), à L'Ancienne-Lorette, au Théâtre de la Marjolaine (1960), à Eastman, le théâtre d'été se définit comme un divertissement populaire.

La faible densité de la population de certaines régions a toujours constitué une difficulté majeure pour la pratique d'une activité théâtrale quelque peu soutenue. Deux solutions intéressantes apparaissent. Le Centre dramatique du Conservatoire, fondé en 1963, qui deviendra en 1966 le Théâtre populaire du Québec, se veut à la fois un débouché pour les élèves sortants et une troupe de tournée qui présente le répertoire traditionnel français : Corneille, Racine, Molière, Feydeau, Musset, Anouilh. En 1967, on lance l'idée d'un bateau-théâtre naviguant sur le fleuve Saint-Laurent et le Saguenay et accostant à chaque port pour y présenter des spectacles : le Théâtre de l'Escale est créé. Faute d'aide financière, le bateau-théâtre s'ancre d'abord à Hull, puis à Saint-Marc-sur-Richelieu, qu'il ne quitte plus.

Les débuts du théâtre pour enfants (1945-1965)

Le théâtre pour enfants suivra une trajectoire semblable à celle qu'emprunte le théâtre pour adultes. Les compagnies, qui voient dans le jeune public la relève, proposent aux jeunes des œuvres qui, dans une forme conventionnelle, défendent les valeurs traditionnelles. Elles voient, dans le jeune public, la relève. Quelques compagnies marginales proposent tout de même des thèmes et des formes dramatiques nouvelles.

Les Compagnons offrent aux élèves du premier cycle du cours classique des œuvres de Chancerel, de Ghéon, d'Anouilh et de Molière, entre autres, dans un style de jeu corporel, en faisant souvent usage de masques. *Les Gueux au Paradis, Le Bal des voleurs, Antigone* initient ces jeunes à l'art dramatique, préparent le public des théâtres professionnels et annoncent le travail que fera la NCT à partir de 1964.

La Roulotte, créée en 1953 par le Service des parcs de la Ville de Montréal et animée par Paul Buissonneau, visite une trentaine de terrains de jeux durant la saison estivale. Une fois l'un de ses côtés rabattu, la grande remorque se transforme en scène ; les comédiens jouent aussi sur le gazon devant la scène et sur le toit du véhicule. La Roulotte présente des œuvres tirées du répertoire musical : *Pierre et le loup,* de Prokofiev, *Le Carnaval des animaux,* de Camille Saint-Saëns, *Orion le tueur,* de Jean-Pierre Grenier et Maurice Fombeurre, *La Tour Eiffel qui tue,* de Guillaume Hannoteau, aussi bien que des contes adaptés pour le théâtre – *Barbe-Bleue, Pinocchio, Le Chat botté, Le Soldat au briquet* – ou encore des scènes de la commedia dell'arte. En 1957, Le Vagabond s'ajoute à La Roulotte et donne des spectacles de marionnettes en plus de permettre aux enfants d'y présenter leurs propres sketches.

En 1958, le Théâtre-Club fonde le Théâtre des Mirlitons, qui conçoit ses spectacles à partir de personnages tirés des émissions de télévision pour enfants : Fanfreluche, le pirate Maboule, Madame Bec-Sec ; Jacques Létourneau et Uguette Uguay en sont les principaux animateurs et vedettes. En 1960, chez Les Apprentis-Sorciers, Rodrig Mathieu, Pierre Moretti, Pierre-Jean Cuillerrier et Chantal Dupont se lancent dans l'écriture et la création de spectacles pour enfants; en plus du jeu des acteurs, on fait appel au cinéma, à la marionnette et à la musique.

Cet ajout à la programmation des théâtres, qui vise l'éducation artistique des enfants, devient vite encombrant, et les compagnies délaissent cette activité. Il faut attendre les années 1970 pour que d'autres troupes que celle de La Roulotte se consacrent exclusivement au théâtre pour enfants, élaborent un répertoire original, forment leurs artistes et contrôlent leur réseau de tournée. Le théâtre pour la jeunesse devient alors une activité théâtrale véritablement autonome.

Signes des temps

Le Festival national d'art dramatique, fondé pour stimuler le théâtre amateur canadien à une époque où le théâtre professionnel ne s'est pas encore imposé, voit, dans les années 1950, concourir de jeunes troupes quasi professionnelles : les Compagnons de Saint-Laurent, le Théâtre de Quat'Sous, La Jeune Scène (de Marcel Dubé), et de nombreux acteurs en début de carrière y remporteront plusieurs prix; les « vrais » amateurs, pour leur part, jugent cette concurrence déloyale. Le théâtre canadien-français n'en devient pas moins un stimulant pour les troupes de tout le pays. Cependant, le bilinguisme très approximatif de l'organisation et des adjudicateurs suscite, depuis le début, la grogne ou l'abstention des francophones. En réaction aux plaintes des « vrais » amateurs et des francophones, qui crient à l'inégalité des chances, Guy Beaulne fonde, en 1958, l'Association canadienne du théâtre d'amateurs (ACTA) pour promouvoir le théâtre amateur francophone au Canada, mais surtout au Québec.

D'autre part, en 1963, l'affrontement syndical pour la juridiction exclusive de la Place des Arts, la nouvelle grande salle de spectacle de Montréal, donne à l'Union des artistes l'occasion d'affirmer son importance. Actors Equity, le puissant syndicat américain des artistes de scène qui régit ce domaine depuis 1856, et auquel ont adhéré les artistes canadiens anglophones, et l'Union des artistes, fondée en 1937 et qui regroupe les artistes francophones, prétendent tous deux à la juridiction sur ce lieu de prestige qui accueillera désormais les artistes en tournée. Les passions se déchaînent et, devant la menace de boycottage de l'inauguration, le gouvernement du Québec demande un moratoire de six mois. Les belligérants acceptent de reporter le débat. Par une entente secrète, le gouvernement Lesage accorde à l'Union des artistes la juridiction convoitée. L'année suivante, Actors Equity, placé devant le fait accompli, accepte la décision.

Le Québec est résolument entré dans l'ère du « Maître chez nous », comme le proclame le slogan du Parti libéral porté au pouvoir : c'est le début de la Révolution tranquille.

Une dramaturgie hésitante

La pratique professionnelle s'est imposée à partir d'un répertoire étranger. La création est un risque qu'elles hésitent à assumer. Déterminées à échapper au sort de leurs prédécesseurs, les compagnies redoutent la désertion d'un public encore peu nombreux et les conséquences économiques d'un four. À ces raisons pratiques s'ajoutent aussi des choix esthétiques. Les directeurs artistiques ne sont-ils pas, selon l'expression de Jean-Claude Germain, « les fils du père Legault » ? La Comédie-Canadienne accueille des auteurs connus, les nouveaux dramaturges se retrouvent au Festival national d'art dramatique où se rassemble la jeunesse. Nombre d'auteurs (Dubé, Languirand, Gurik...) formeront des troupes temporaires pour présenter leurs œuvres.

Le théâtre qui s'affirme avec la création de nouvelles troupes cherche des auteurs ; les lettrés, romanciers et journalistes, sont tentés par l'écriture dramatique. D'abord redoutée comme une concurrente, la télévision, dans les foyers à partir de 1952, présente des téléromans et plusieurs téléthéâtres, contribuant ainsi à stimuler l'écriture dramatique et à intéresser un public que le théâtre n'avait pas encore rejoint. De même que la radio a vu naître Fridolin, c'est à la télévision qu'*Un simple soldat* et *Florence,* de Marcel Dubé, bouleversent le Québec ; Françoise Loranger conquiert son public par des téléromans et des téléthéâtres avant de le faire accourir à la Comédie-Canadienne. Ce nouvel auditoire, pour qui la référence n'est plus le théâtre européen, s'attend à trouver à la scène des situations, des personnages, une langue où il se reconnaît. Il constitue un appui important pour les auteurs canadiens.

Le succès populaire de *Tit-Coq* n'en fait pas pour autant un modèle. Les auteurs qui s'essaient à la scène, au cours de cette période, coulent leurs œuvres dans des formes connues. Tragédie classique, boulevard, comédie satirique, farce, drame (paysan, bourgeois ou poétique), tous les genres sont essayés. Qu'il relève d'une conception universaliste ou régionaliste, qu'il se situe dans le passé ou dans le présent, et quelles que soient ses faiblesses dramatiques, ce théâtre a la mérite de secouer les représentations sociales conventionnelles de l'époque.

En situant dans la société canadienne-française contemporaine leurs drames bourgeois, un genre dont le ressort dramatique est l'adultère, André Laurendeau, Pierre Dagenais, François Moreau brisent l'image idéalisée de cette classe sociale. L'adultère, pour y être caché, n'y est pas moins présent. Dans *L'Œil du peuple* (1957), André Langevin dénonce l'hypocrisie sous-jacente à la campagne d'épuration des mœurs qui a cours à Montréal. *Un fils à tuer* (1949), d'Éloi de Grandmont, et *Le Marcheur* (1950), d'Yves Thériault, se révèlent les tentatives les plus intéressantes. Les deux pièces mettent en question l'autorité despotique du père ; la première situe son action dans la colonie naissante, la deuxième dans un milieu rural contemporain. Le simplisme des caractères et de l'action dramatique dessert la portée de la pièce d'Éloi de Grandmont ; plus forte, quoique répétitive au second acte, plus audacieuse aussi par la place qu'elle donne à la sexualité de la femme et à l'homosexualité, la pièce de Thériault prend une signification sociale qui n'échappe pas à la critique. Judith Jasmin lit dans *Le Marcheur* un « curieux cas de transposition, sur le plan familial, des contraintes que subit, dans son milieu social, la jeunesse canadienne-française ». La révolte contre le despotisme du père, le désir de quitter un monde trop étroit où l'avenir garde le visage du passé, donnent, dans *Au cœur de la rose,* de Pierre Perrault, un rare personnage de fille fougueuse qui se brisera sur les peurs et les obstacles que lui opposent les hommes.

La majorité des œuvres de cette période sont écrites dans une langue qu'on a qualifiée de littéraire. C'est plutôt une langue écrite, respectueuse de la norme ; elle engendre l'inertie dramatique parce qu'elle n'est la langue de personne, ni de l'auteur ni des personnages. Ceux qui cherchent du côté de la langue orale – Félix Leclerc, Yves Thériault – se tournent vers la langue paysanne. La tentative la plus significative est celle de Guy Dufresne dans *Le Cri de l'engoulevent,* qui fait entendre trois niveaux de langue : le parler rural des hommes, la langue plus châtiée des femmes et le français international appris dans les grandes écoles par l'ingénieur américain Crowinshield pour circuler dans un monde policé où le Québec fait bien piètre figure. De son côté, Pierre Perrault propose une langue orale et poétique teintée du parler de l'île aux Coudres.

Ces tentatives d'appropriation du code théâtral se font à partir de genres conventionnels, en marge des courants européens où s'inscrit le renouveau de l'écriture dramatique. Jacques Languirand, de retour de Paris où l'a séduit l'avant-garde naissante, explore sur les scènes montréalaises les sentiers de cette nouvelle écriture avec *Les Insolites* (1958), *Le Roi ivre* (1957), *Le Gibet* (1958). Après l'échec des *Violons de l'automne,* en 1961, Languirand abandonne l'avant-garde. Le théâtre de l'absurde dont il s'inspire, qui se joue du langage et de la logique et substitue la dérision et la parodie au drame, donne à ses pièces un air de liberté et de fantaisie, mais prend chez lui des allures de vaudeville où se perd le sentiment métaphysique. Perplex, le héros du *Gibet,* est sans doute son personnage le plus significatif. Toujours attiré par les formes modernes, Languirand présentera au Nouveau Monde, en 1965, *Klondyke,* une fresque épique qui sera sa dernière œuvre pour la scène.

Le Salon des refusés

Quelques rares auteurs abordent le théâtre en toute indépendance d'esprit. Jacques Ferron s'amuse à y traiter ses thèmes favoris : l'amour, la sexualité, les relations de couple, dans une liberté de ton bien en avance sur la morale du temps. Son œuvre, qui s'alimente à une vaste culture littéraire et théâtrale, se développe comme un divertissement littéraire en dehors des exigences de la scène, ce que confirme la création de *L'Ogre,* du *Dodu* et du *Licou* en 1958 et en 1960. *Les Grands Soleils,* qui traite de la révolution de 1837 sur un mode engagé et humoristique, devra attendre la poussée nationaliste pour connaître un certain succès à la scène en 1968.

Yves Thériault ne réussit pas à faire jouer ses pièces *Frédange* et *Les Terres neuves,* pourtant dramatiquement mieux construites que *Le Marcheur.* Ces deux drames paysans n'ont, il est vrai, aucune couleur locale ; la langue, très expressive, est plus littéraire que référentielle, les caractères sont nettement dessinés, les situations et les conflits bien développés. On peut présumer que la sensualité qui parcourt cet univers dramatique, la liberté de comportement des femmes et la revendication de la sexualité comme une force de vie, en dehors de toute morale conventionnelle, ont fait peur aux directeurs de troupes, soucieux de ne pas effaroucher le public.

Claude Gauvreau présente, en 1947, dans un spectacle-provocation multidisciplinaire, un *objet* automatiste, *Bien-Être,* extrait des *Entrailles.* Entre 1953 et 1970, il écrira quatre pièces qui mettent en scène le personnage de l'artiste. La modernité formelle de cette œuvre et la liberté de penser et de s'exprimer de son auteur qui tient pour acquis, en 1950, la liberté sexuelle, l'évocation sur scène du coït, l'anticléricalisme et l'athéisme, et qui, de plus, dramatise la répression sociale dont est victime le poète, ne peuvent qu'isoler Gauvreau et le tenir éloigné de la scène. Le scandale, formel et idéologique, effraie autant les directeurs de théâtres que le public lui-même pour qui le théâtre était jusque-là le lieu d'une culture sécurisante.

L'œuvre de Marcel Dubé

> J'écris pour être parlé.
>
> Marcel Dubé, *Textes et documents*, 1968.

L'urgence de dire « l'homme d'ici » se trouve à la source de l'œuvre dramatique de Marcel Dubé. Sans le filet d'un univers littéraire préconçu, Dubé se donne pour tâche d'édifier la première œuvre dramatique du Québec. De 1951 à 1968, à la télévision comme à la scène, avec plus d'une quarantaine de pièces, de télé-théâtres et de téléromans, le « monde de Marcel Dubé » va se développer dans un lien étroit avec un public séduit de se découvrir objet et sujet de théâtre.

Selon le milieu social qu'elle décrit, on distingue deux périodes dans l'œuvre de Dubé. De 1951 à 1960, l'auteur met en scène le monde ouvrier. Les jeunes héros aspirent à une vie meilleure. Ils refusent de demeurer « toute leur vie coincés entre deux façades de maison, forcés de vieillir avec elles » et cherchent à gagner « l'autre côté du mur », là où se trouvent le monde et la vie. Démunis, inadaptés, rêveurs, ils ne réussissent pas ce passage, sauf Florence : première figure d'une nouvelle génération de femmes, le personnage principal de la pièce du même nom refuse les schèmes du passé, enfreint les interdits sans s'y briser et rompt, par son travail, avec la dépendance de son milieu et du soutien financier de l'homme. Les dialogues délaissent le français universel pour rendre compte, sans toutefois insister, de la langue parlée.

À partir de *Bilan,* la bourgeoisie d'affaires devient la cible de Dubé. Les protagonistes ont acquis argent, pouvoir, prestige. Toute l'action consiste, pour leur entourage, et en particulier pour les femmes mariées, à détruire ces hommes triomphants, à les mettre en pièces avec une virulence à la mesure de la déception qu'ils ont engendrée.

La langue fait un retour vers le français normatif. Le ton aussi a changé. Parti d'une écriture simple, d'une parole rare où affleurait la conscience des protagonistes, Dubé privilégie maintenant les affrontements, une dissection impitoyable des personnages et une parole pléthorique qui vont à l'encontre des tendances du théâtre contemporain, lequel cherche à se situer en dehors des conflits ouverts et travaille dans la méfiance du langage.

« Sismographe de l'évolution collective », selon l'expression d'Alonzo Leblanc, Dubé accuse les mœurs corrompues du régime duplessiste et fait entendre les échos du mouvement indépendantiste. Au-delà du discours politique, l'auteur lie étroitement le destin individuel de ses personnages au destin collectif du Québec, l'impuissance personnelle expliquant l'impuissance collective et vice-versa.

Sur la fracture dans le développement de son œuvre, Dubé s'est lui-même expliqué. Après avoir écrit « le langage du peuple. Celui que tout le monde comprenait, les mots simples, concrets et quotidiens, agencés de telle manière que personne ne pourrait demeurer sourd », il prend conscience, comme auteur, que ses œuvres sont difficilement exportables et, comme Québécois des années 1960, il est saisi de « l'importance de la langue française comme condition déterminante, primordiale, indissociable, de notre survivance ». S'impose alors à lui « la nécessité d'apprendre à écrire en français ». Celui qui s'était détourné des modèles étrangers rêve de doter le Québec d'une tragédie. O'Neill n'avait-il pas cédé à la même ambition avec *Le deuil sied à Électre* (1931) ? Cette hantise de la tragédie apparaît particulièrement dans *Au retour des oies blanches* (1966) et *Le Réformiste* (1977). Mais ni l'écroulement de l'image du père, ni la destruction d'une famille, ni l'inceste, ni le suicide ne garantissent le sentiment tragique. Entre le mélo, le drame bourgeois et la tragédie, la frontière n'est pas étanche.

En même temps qu'il cherche à dire le Québec,

Dubé, à travers une œuvre plus variée que ne le laisse supposer la division commode en deux périodes, explore les possibilités multiples de l'écriture. Dramaturge réaliste, il sera cependant tenté de donner voix à la poésie au théâtre, une poésie humble, quotidienne mais authentique dans *Zone,* mièvre dans *Le Temps des lilas,* et qui cherche des accents claudéliens dans *Le Réformiste.* Écrivain de théâtre, Dubé s'initie très tôt à l'écriture télévisuelle, à ses libertés de déplacements spatiotemporels, à la fragmentation des scènes, à la parole intimiste que permettent les gros plans, au relâchement de la structure. Créés d'abord sous forme de téléthéâtre, puis portés à la scène après avoir été remaniés, *Un simple soldat* et *Florence,* malgré la force et l'efficacité de leurs protagonistes, laissent insatisfaits sur le plan dramatique. À partir de 1960, Dubé, dans sa volonté de fonder une dramaturgie classique, écrira directement pour le théâtre, revenant ainsi à une action plus dense, comme dans ses premières pièces.

Quant au problème de la langue, il l'aura non seulement posé dans son œuvre, mais vécu de façon cruciale en tant qu'écrivain. Alors qu'il opte pour le français universel, le mouvement qui revendique l'usage politique du joual en littérature se cristallise autour de la revue *Parti pris,* et le jeune Michel Tremblay l'impose au théâtre avec ses éclatantes *Belles-Sœurs.* Dubé, qui nage à contre-courant, sera emporté.

L'œuvre de Gratien Gélinas et celle de Marcel Dubé, qui s'inscrivent toutes deux dans le courant réaliste, ont défini la dramaturgie québécoise au point que « théâtre québécois » en est venu à signifier implicitement « théâtre réaliste ». Ce mouvement se caractérise par l'importance de la fonction référentielle, un milieu urbain et généralement populaire, une critique des valeurs traditionnelles, une langue dont l'indice d'oralité peut varier de l'allusion à la concentration ou au vérisme. Cette esthétique coïncide avec une fonction sociale, soit la reconnaissance et l'affirmation de l'identité collective. Vers 1970, cette fonction deviendra déterminante dans l'évolution du théâtre québécois.

Les années 1950 voient donc l'implantation du théâtre professionnel et le développement d'une dramaturgie québécoise. Le public se familiarise avec la scène et se diversifie, et la fréquentation des salles augmente rapidement. L'État, autant provincial que fédéral, préoccupé d'identité nationale, considère le théâtre comme une institution culturelle dont il doit soutenir le développement par des subventions et des réseaux de diffusion.

CHAPITRE IV

Le théâtre, lieu des remises
en question (1968-1980)

> Nos dramaturges réclament nos scènes
> et nos efforts, ils ont raison.
>
> Albert Millaire, *Théâtre populaire*
> *du Québec*, 1969.

> Il nous faut un théâtre radical, indé-
> pendant, chaotique, anarchique contre
> les théâtres institutionnels.
>
> Ronnie Davis, fondateur de
> la San Francisco Mime Troupe, 1962.

S'il y a un âge d'or du théâtre québécois, ce sont certainement les années 1970. En 10 ans, le nombre de
troupes décuple, les lieux théâtraux se multiplient et se
diversifient, à Montréal comme ailleurs au Québec ; les
dramaturges québécois sont partout présents et les spectateurs les réclament. Sous la poussée de l'affirmation nationale et du mouvement de contestation qui s'est développé partout dans le monde – deux élans qui trouvent
écho dans la jeunesse québécoise –, la fonction traditionnelle du théâtre est remise en question. La scène apparaît
comme un lieu et un instrument privilégiés pour prendre
parti dans les débats idéologiques et sociaux. Les théâtres
établis, qui se sentent menacés par cette vague de contestation, cherchent autant à s'en défendre qu'à s'y insérer.

Une nouvelle génération d'auteurs

En 1965, de jeunes dramaturges, Jean Morin, Robert Gurik, Robert Gauthier, Jacques Duchesne et Denis Saint-Denis, se regroupent pour fonder le Centre d'essai des auteurs dramatiques (CEAD), dont Jean-Claude Germain devient le premier secrétaire. Ces auteurs ont en commun le rejet du réalisme en faveur d'un théâtre plus novateur et plus directement engagé. Ils se donnent pour mandat de faire connaître leurs œuvres par des tables rondes, des discussions, des lectures publiques, des publications. Le CEAD jouera un rôle important dans l'affirmation d'un métier, celui de dramaturge, qui entend ne plus passer par la littérature ni par la télévision.

Points de rupture

En janvier 1968, *Hamlet, prince du Québec,* de Robert Gurik, au Théâtre de l'Escale, propose une lecture parodique de l'actualité politique du Québec. En mai 1968, le Théâtre de Quat'Sous présente une création collective, *L'Osstid'cho,* avec Robert Charlebois, Louise Forestier, Mouffe et Yvon Deschamps, et la collaboration de Claude Péloquin et du Quatuor du jazz libre du Québec. Le succès est tel que le spectacle est repris en septembre à la Comédie-Canadienne.

À l'été de 1968, Yvan Canuel met à l'affiche du Festival de Sainte-Agathe *Le Cid maghané,* de Réjean Ducharme, pied de nez au théâtre classique et à la culture française. À l'automne de la même année, *Les Belles-Sœurs,* de Michel Tremblay, jouées au Rideau Vert, font scandale en imposant au théâtre le joual dont les écrivains de *Parti pris* avaient prôné l'usage révolutionnaire et que Jacques Renaud, le premier, avait utilisé à des fins littéraires dans son roman *Le Cassé.* La langue que Gélinas et Dubé avaient fait entendre sur scène, comme leurs personnages, paraîtront désormais bien timides à côté de ces femmes au naturel outrancier.

En décembre 1968, les élèves de troisième année de la section française de l'École nationale quittent en bloc leur institution pour protester contre l'accent parisien qu'on leur impose et contre le hiatus total entre le théâtre pour lequel on les forme et la société dans laquelle ils vivent. Quelques-uns forment, avec des étudiants des conservatoires de Montréal et de Québec, sous la direction de Raymond Cloutier, Le Grand Cirque ordinaire, dont la création collective *T'es pas tannée, Jeanne d'Arc?*, inspirée de Brecht, propose un questionnement sur l'histoire du Québec et sa réalité contemporaine. Le spectacle conteste aussi le répertoire étranger et le jeu traditionnel auquel il substitue la spontanéité apparente, la polyvalence et la provocation, ouvrant une voie nouvelle qui donne le signal d'un théâtre libéré.

En 1969, Jean-Claude Germain fonde le Théâtre du Même Nom (TMN), une référence ironique et provocatrice au Théâtre du Nouveau Monde. Avec Les Enfants de Chénier, une troupe rebaptisée en 1971 Les P'tits Enfants Laliberté, il produit *Un autre grand spectacle d'adieu*, une création collective où est stigmatisée, dans le style parodique qui sera la marque de Germain, la soumission du théâtre québécois à la culture étrangère et à la vénération des chefs-d'œuvre.

Le virage québécois s'accentue

Le tournant que représente pour la dramaturgie québécoise la fin des années 1960 apparaît en raccourci dans la carrière de Françoise Loranger et dans la réception de ses œuvres. Après *Une maison... un jour...* (1966), que la critique locale louange pour ses accents tchekhoviens mais que la presse parisienne accueille froidement, l'auteur suit, dans *Encore cinq minutes* (1967), les traces de Dubé en reprenant la critique de la famille bourgeoise. Le protagoniste est cependant une femme qui décide au dénouement de quitter la structure familiale pour la quête de sa propre identité. La critique voit dans ce personnage le symbole d'une libération collective mais nie toute dimension féministe. Celle-ci ne sera relevée qu'à la reprise à la télévision en 1971. En outre, lors de la création de la pièce, en 1967, les sacres et les blasphèmes soulèvent quelques réticences. On regrette cette couleur locale qui, dit-on, n'apporte rien de plus à l'œuvre. Par contre, à la reprise, en 1969, les réserves vont dans le sens opposé : on reproche à l'auteur ses hésitations entre le joual et le *Parisian french* ; une option nette en faveur du joual aurait, écrit-on, permis d'atteindre à une plus grande efficacité dramatique. L'année suivante, Loranger quitte le drame bourgeois pour des formes nouvelles et des sujets politiques : *Le Chemin du Roy*, en collaboration avec Claude Levac, et *Médium saignant*. Entre-temps, influencée par le Living Theatre, elle a expérimenté, avec *Double jeu*, une formule qui fait appel à la participation du public et vise à favoriser la libération intérieure.

Dans les théâtres institutionnels

L'intérêt des théâtres institutionnels pour la création de textes québécois est nettement plus marqué à partir de 1967 (année du centenaire de la Confédération et de l'Exposition universelle de Montréal). Le Rideau Vert, après le succès de *Encore cinq minutes*, de Françoise Loranger (1967), et la commotion causée par *Les Belles-Sœurs*, a encore la main heureuse avec *La Sagouine*, d'Antonine Maillet (1972), auteure dont il présente au moins une pièce par année jusqu'en 1979. En marge des innovations formelles, l'Acadienne Antonine Maillet, puisant dans la tradition des contes et des récits, met en scène des personnages simples et colorés dans une langue qui revendique sa parenté avec celle de Rabelais.

La Nouvelle Compagnie théâtrale présente pour la première fois en 1968-1969 une pièce canadienne à son public : *Un simple soldat*, de Marcel Dubé. À côté des classiques universels qui forment sa programmation, elle présentera par la suite des œuvres éprouvées de la dramaturgie locale.

Le Théâtre de Quat'Sous se tourne résolument vers la création québécoise dont il fait, pendant quelques années, sa programmation exclusive. Les pièces de Michel Tremblay y sont régulièrement créées, parmi lesquelles le classique *À toi pour toujours, ta Marie-Lou*. Michel Garneau, Jean Barbeau, des créations collectives, en particulier celles du Grand Cirque ordinaire, s'y partagent l'affiche et entretiennent un climat enthousiaste de théâtre vivant.

L'avant-garde se rend à l'urgence de l'affirmation culturelle. L'Égrégore se tourne du côté des textes québécois. Les Apprentis-Sorciers, Les Saltimbanques et le Mouvement contemporain, après avoir fusionné, disparaissent au profit du Théâtre d'Aujourd'hui (1968) qui, sous la direction de Jean-Claude Germain, reprend, dans une salle de 100 places, la politique de la Comédie-Canadienne moribonde, soit la création exclusive de textes québécois.

En 1969, dès sa nomination au poste de directeur artistique du Théâtre populaire du Québec, Albert Millaire annonce un changement de cap :

> Faisant partie du monde francophone, nous avons à notre disposition un répertoire d'une richesse incalculable que nous nous voyons dans l'obligation de saluer bien bas et de garder bien précieusement dans nos cœurs. Nos dramaturges réclament nos scènes et nos efforts, ils ont raison.

La Compagnie, dont la mission est essentiellement la tournée, opte pour une saison composée d'œuvres québécoises, afin que le public de la province puisse participer lui aussi à la fièvre de la création.

L'actualité politique et la recherche de l'identité nationale trouvent écho sur les grandes scènes. Dans l'émotion encore vibrante de la visite au Québec du général de Gaulle (1967) et de son « Vive le Québec libre ! », *Le Chemin du Roy,* de Claude Levac et Françoise Loranger (Gesù, 1969), oppose, sous la forme d'une joute de hockey, les tenants du Canada et les partisans d'un Québec souverain. L'année suivante, *Médium saignant,* de Françoise Loranger, porte à la scène le climat des assemblées publiques et les conflits linguistiques suscités par le projet de loi 63 qui donnait aux parents le libre choix de l'école anglophone ou francophone.

Bientôt, un sentiment s'impose selon lequel les comédiens ne donnent la pleine mesure de leur talent que dans les textes québécois, là seulement où ils sont eux-mêmes, c'est-à-dire fougueux et impulsifs, libérés de la retenue et de la contrainte qu'imposent les textes classiques et étrangers.

Traduire en québécois

Le TNM met à l'affiche deux, parfois trois créations par saison, dont *Bilan,* de Marcel Dubé (1968), *Les Traitants,* de Guy Dufresne (1969), *La Guerre, yes Sir !,* de Roch Carrier (1970). Mais les trois spectacles qui attireront le plus de spectateurs entre 1968 et 1980 seront trois traductions-adaptations : *Pygmalion,* de Bernard Shaw, adapté par Éloi de Grandmond (1968), *Lysystrata,* d'Aristophane, adaptée par Michel Tremblay (1969), et *Le Tourniquet,* de Victor Lanoux, adapté par Jean-Louis Roux sous le titre de *L'Ouvre-boîte* (1974). Traditionnellement, les pièces américaines ou européennes, anciennes ou contemporaines, étaient jouées dans leur traduction française, d'autant plus que les droits de traduction étaient « réservés pour tous les pays ». La traduction locale, quand elle s'imposait, était le fait de traducteurs de métier. Le passage obligé par la France apparaît, dans les années 1970, comme une autre manifestation d'aliénation culturelle. On commande aux dramaturges des traductions qui deviennent des adaptations. Dans cette phase ethnocentrique, il n'y a plus ni étrangers, ni ailleurs. Russes, Grecs ou Américains sont acclimatés aux bords du Saint-Laurent. Le plaisir de se reconnaître et de s'affirmer est, pour un temps, plus fort que l'intérêt de rencontrer l'étranger avec qui pourrait s'instaurer un dialogue. *Lysystrata, Pygmalion* deviennent des créations québécoises et le nom de l'auteur s'efface ou se réduit au profit du traducteur. La traduction-adaptation de *Macbeth* par Michel Garneau, en 1978, connaît aussi un vif succès grâce à l'utilisation de la langue paysanne et à l'interprétation de la tragédie shakespearienne dans un contexte culturel québécois.

Le renouveau dramatique

Jean Barbeau poursuit, à travers plus de 20 comédies aux ressorts simples, la mise en scène du Québécois ; ses personnages d'hommes perturbés, exclus, impuissants, oscillent entre le burlesque et l'absurde. Après *Le Cid maghané,* de Réjean Ducharme, Barbeau oppose, dans *Manon Last Call* et dans *Joualez-moi d'amour,* la langue et la culture françaises et québécoises, dans le cadre de situations familières. Cette opposition est également un thème du *Chant du sink,* cette fois-ci traité sur le plan de la création de l'œuvre dramatique. Avec *Solange,* Barbeau donne une pièce au ton intimiste qui dépasse les résonances contextuelles.

Le théâtre de Michel Garneau, souvent écrit pour répondre à des commandes (l'auteur se veut un écrivain public), fait aussi la critique des institutions traditionnelles. Très personnel en même temps qu'enraciné dans la culture québécoise, ce théâtre est toujours célébration de la parole. Ses pièces les plus réussies sont œuvres de poète. *Quatre à quatre* (1974), *Émilie ne sera plus jamais cueillie par l'anémone* (1981) séduisent par la densité et la beauté du langage.

Robert Gurik s'engage d'abord dans une réflexion sur la vie moderne. Formellement influencé par l'avant-garde européenne, il oscille entre l'engagement et un humanisme intemporel. Avec *Hamlet, prince du Québec* (1968), il entre à son tour dans la lutte nationaliste. *Le Procès de Jean-Baptiste M.* (TNM, 1972), dans lequel il revient à un sujet et à une forme plus conventionnels, demeure paradoxalement sa pièce la plus achevée et la plus efficace sur le plan dramatique.

Comme auteur, Jean-Claude Germain, dans la plus joyeuse fantaisie, signe une vingtaine de pièces décapantes qui ont pour objectif de tordre le cou aux mythes qui ont marqué l'histoire et l'idéologie québécoises. Ces textes, dont la structure s'apparente à celle des créations collectives qui furent à l'origine de son écriture, sont marqués par le verbe pamphlétaire unique de son auteur. Tout entière justifiée par sa fonction d'exorcisme et par le plaisir donné aux spectateurs, son œuvre survivra sans doute à travers des pièces comme *Les Hauts et les bas d'la vie d'une diva : Sarah Ménard par eux-mêmes* (1974) et *Les Nuits de l'Indiva* (1980).

Roland Lepage, en répondant aux commandes de l'École nationale de théâtre, a produit des œuvres qui s'inscrivent dans les thématiques féministes et nationalistes. Dans *La Complainte des hivers rouges* (1974), il aborde l'insurrection de 1837 sur un mode lyrique. Le chœur des récitants est formé des habitants du Bas-Canada qui, l'hiver revenu, appréhendent le retour des événements et revivent, en les évoquant, l'horreur et les souffrances passées. Les héros révolutionnaires cèdent la place au peuple. Le sujet n'est plus la rébellion mais la répression qu'elle a engendrée.

Réjean Ducharme, entré au théâtre par des parodies de la culture et du passé français, introduit sur scène avec *Ha Ha !...* (1978) l'esprit de liberté de ses romans : ses héros jeunes, pure création de leur auteur, ne subissent pas l'exclusion sociale mais la réclament joyeusement comme leur salut. Avec lui, la langue retrouve aussi sa liberté d'invention, redevient parole.

Le monde de Michel Tremblay

> C'est ça mon rôle [...] faire dire aux autres c'qu'y sont pas capables de dire pis ce que chus pas capable de dire moi non plus.
>
> Claude, dans *Le Vrai Monde ?*,
> Michel Tremblay, 1987.

Malgré la multiplication des auteurs et l'éclatement des formes dramatiques que connaît la scène québécoise pendant les années 1970, l'œuvre dominante de cette époque est incontestablement celle de Michel Tremblay. Au rythme quasi régulier d'une pièce par année, des *Belles-Sœurs* (1968) à *L'Impromptu d'Outremont* (1980), il peuple la scène de personnages grotesques et tragiques, dérisoires et désespérément vrais.

Reçus d'abord comme des échantillons socioculturels ou des spécimens ethnographiques des habitants de la rue Fabre et du Plateau Mont-Royal, les personnages de Michel Tremblay apparaissent aujourd'hui autant, sinon plus, comme des projections de l'imaginaire d'un auteur que l'œuvre romanesque continuera d'explorer dans les années 1980. En plus de sa dimension référentielle provocante, cette œuvre joue de thèmes qui trouvent écho dans le contexte politique et social du Québec. La dénonciation des valeurs tribales et la volonté d'affirmation de soi qui en constituent la dynamique coïncident avec le bouleversement des mentalités par la Révolution tranquille ; le procès des hommes par les femmes, commencé dans *Les Belles-Sœurs*, poursuivi dans *À toi pour toujours, ta Marie-Lou* (1971), prend des accents si radicaux qu'on voit en Tremblay un auteur féministe, même si, selon Lucie Robert, ses femmes « révoltées demeurent muettes, incapables de formuler leurs revendications propres dans un langage qui soit le leur ».

Le monde de Tremblay se structure en deux espaces, à la fois géographiques et psychologiques : la rue Fabre et la famille, lieu de l'aliénation et de l'enfermement, et la *Main,* l'ailleurs des marginaux, lieu d'affirmation de leur identité sexuelle et professionnelle. Ces espaces s'opposent sans s'exclure. Ils se répondent, dans l'œuvre, où ils ne sont pas explorés successivement mais simultanément, et dans le monde fictionnel, où ils dialoguent, parfois âprement, à l'intérieur d'une même pièce, ou encore par les échos qui traversent l'œuvre entière. Le premier est dominé par la parole agressive mais impuissante des femmes, le second par les travestis et les homosexuels, mais aussi par la faune du *showbiz*, monde marginal où se retrouvent ceux qui ont choisi d'échapper à la frustration de la famille et du contrôle social. Le monde du spectacle, même *kétaine,* apparaît rapidement comme signe de la création quand celle-ci n'est pas directement posée par la présence d'un personnage écrivain. Tremblay annonce ainsi un thème qui sera central dans la dramaturgie des années 1980.

Le joual des *Belles-Sœurs* éclabousse la scène de

son naturel et de sa vérité. Cet idiome montréalais, qui, selon Gilbert David et Pierre Lavoie, « fait s'entrechoquer sacres, jurons, expressions vulgaires, dans un français fortement anglicisé », s'est immédiatement imposé au théâtre où il devient indissociable du personnage québécois. Là cependant où l'on avait entendu la transcription minutieuse de la langue populaire de l'est de Montréal, l'analyse a décelé l'effet joual, produit en partie par une concentration inhabituelle d'expressions caractéristiques et d'effets d'oralité. Selon Lise Gauvin, le parler populaire, pris en charge par la compétence de l'auteur, n'existe plus comme donnée brute. Par un transcodage complexe, il devient matériau d'une œuvre qui relève de la culture savante. La langue du personnage entendue comme celle d'un groupe social, est, en fait, une langue d'auteur.

On interroge aujourd'hui l'esthétique de Tremblay, d'abord opposée à celle de Gélinas et de Dubé comme le naturalisme au réalisme. L'auteur de *À toi pour toujours, ta Marie-Lou* brise avec l'idéal du quatrième mur ouvert sur la cuisine ou le salon, fait éclater le mimétisme réaliste en prenant à son compte les libertés de l'écriture contemporaine : la discontinuité espace-temps, le *flash-back,* les monologues, le récit. Il joue des formes classiques, opère une résurgence du chœur, s'inspire de la revue, se réfère à d'autres œuvres : *Les Belles-Sœurs* sont nées dans le sillage du théâtre de l'absurde ; le quatuor et l'immobilisme de *Fin de partie,* de Beckett, ont inspiré la conception d'*À toi pour toujours, ta Marie-Lou* ; *Sainte Carmen de la Main* (1976) s'inscrit en référence à *Sainte Jeanne des abattoirs,* de Brecht. L'œuvre qui incarne le québécois dialogue avec le langage et la culture théâtrales sans y être asservie, à partir de la maîtrise parfaite d'un code dont la valeur expressive, personnelle et collective, est unique.

Un rendez-vous manqué

En 1970, aucune des quatre grandes pièces de Claude Gauvreau n'a encore été présentée à la scène. En

1968, à l'initiative du Centre d'essai des auteurs dramatiques, *La Charge de l'orignal épormyable* fait l'objet
d'une lecture publique au Théâtre de Quat'Sous. Aucun
directeur artistique, cependant, ne prend le risque de sa
création. Claude Paradis, un amateur passionné de Gauvreau, réunit des comédiens et crée *La Charge* au Gesù
en 1970. À l'entracte de la troisième représentation, une
partie des comédiens refusent de poursuivre pour les
quelques spectateurs que compte l'auditoire. En 1971,
Claude Gauvreau met fin à ses jours. L'année suivante, le
Théâtre du Nouveau Monde met à l'affiche *Les Oranges
sont vertes*. Le succès est tel qu'on reprend le spectacle
en septembre de la même année : 31 000 spectateurs (en
44 représentations), le double de l'assistance régulière,
auront vu la pièce. Triomphe d'une œuvre qui a enfin
réussi à s'imposer ? Curiosité posthume sur fond de
culpabilité collective ? Qualité d'une production qui
porte le texte ? En 1974, *La Charge de l'orignal épormyable,* également mise en scène au TNM par Jean-Pierre
Ronfard, connaît l'une des plus faibles assistances de la
saison, juste après *Le Pain dur,* de Claudel ! Cette année-
là, les succès vont aux comédies : Molière, Dario Fo et
surtout *Eux, ou la Prise du pouvoir*, d'Eduardo Manet,
qui met en vedette Geneviève Bujold. Il faudra attendre
encore 15 ans pour revoir une pièce de Gauvreau sur une
scène importante.

La démocratisation de la formation

Dans la foulée du rapport Parent, deux collèges
d'enseignement professionnel, Lionel-Groulx à Sainte-
Thérèse (1968) et Bourgchemin à Saint-Hyacinthe (1969),
proposent des formations en théâtre. De son côté, l'Université du Québec à Montréal (1969) offre un baccalauréat qui sanctionne une formation théâtrale à la fois théorique et pratique. L'Université de Sherbrooke met aussi
au point un programme d'animation culturelle régionale
tandis que l'Université du Québec à Chicoutimi offre un
baccalauréat multidisciplinaire avec un cheminement en
théâtre.

Les années 1970 voient donc sortir des écoles un nombre sans précédent de jeunes à qui les théâtres existants ne peuvent servir de débouchés, à la fois pour des raisons pratiques – l'offre dépasse largement la demande – et idéologiques – la pratique professionnelle que les théâtres incarnent est rejetée par la nouvelle génération. Le théâtre établi dans les années 1950, qui se donnait pour but de s'approprier la culture française, classique et contemporaine, et de susciter une dramaturgie locale sur ce modèle, se voit contesté par ceux-là mêmes qu'il voulait former à son idéal.

Les écoles professionnelles changent de cap

Sous la poussée de la contestation étudiante et de la pression sociale pour un théâtre où s'exprime et se reconnaisse la société québécoise, la direction du Conservatoire et celle de l'École nationale sont, pour la première fois, confiées à des praticiens québécois. L'École nationale, sous la direction d'André Pagé (1971-1980) puis de Michelle Rossignol (1980-1986), se souciera de confronter les comédiens au répertoire québécois. De plus, elle stimulera la création en demandant à des auteurs d'écrire des textes pour les exercices publics des étudiants. Des œuvres de Roland Lepage, de Jean Barbeau, de Michel Garneau et de Victor-Lévy Beaulieu, créées d'abord à l'école, se retrouveront par la suite sur les scènes professionnelles. En 1979, l'École nationale ouvre une section d'écriture dramatique d'où sortent un ou deux dramaturges chaque année. Cette prise en compte des besoins du milieu permettra à cette institution de reprendre et même d'élargir le rôle de premier plan qu'elle avait tenu jusque-là dans la formation théâtrale.

Le jeune théâtre

La remise en question du théâtre à la fin des années 1960 est le fait d'une nouvelle génération qui est déterminée à opérer des changements radicaux dans la société. L'appellation « jeune » théâtre caractérise ceux qui ont imposé ce courant en même temps qu'elle marque leur dissociation du théâtre de la génération précédente ressenti comme « vieux », dépassé. La nouvelle esthétique rejette le texte en faveur de la création collective, définit une expression artistique polyvalente qui intègre la chanson, la musique d'inspiration québécoise et l'expression corporelle. La langue parlée se substitue à la diction savante, et la spontanéité au jeu emprunté et codifié, jugé inapte à exprimer des sentiments collectifs, vrais et profonds. Les groupes qui s'identifient à cette pratique se distinguent cependant entre eux par des positions idéologiques différentes : les uns, davantage touchés par la contre-culture, y voient une libération personnelle, alors que les autres, dans la foulée marxiste, veulent travailler, à travers le théâtre, à la désaliénation sociale ; tribune nationaliste pour certains, la scène deviendra pour les féministes un lieu de contestation et d'affirmation.

L'affirmation de l'individu créateur

Dans la démocratisation de la culture, le concept de l'artiste, être d'exception, est contesté et remplacé par le postulat selon lequel tout individu est naturellement créateur ; c'est l'éducation qui serait responsable de la diminution ou la perte de son aptitude créatrice. Dans cette optique, le jeune comédien se sent asservi, comme individu, à la parole de l'auteur et, comme artiste, brimé par l'autorité du metteur en scène et la spécialisation des tâches. Il réclame donc le droit à sa propre parole et la possibilité d'exercer à fond sa créativité par une participation à la totalité du spectacle. Il accepte ou même choisit de travailler avec des non-professionnels. Certains font du développement de la créativité le but premier de leur pratique. Il en est ainsi du Théâtre des Travailleurs (1970), de Charlotte Boisjoli et de Jean-Pierre Compain : « Nous voudrions [...] prouver [...] que tout homme (à des degrés à peine différents) est artiste. » De même le Théâtre expérimental de Montréal fera de la créativité et de l'égalité absolue de ses membres la base rigoureuse de sa pratique.

Le théâtre, instrument dans la lutte des classes

Le débat, qui avait divisé les surréalistes, autour de l'impossibilité de la libération personnelle en dehors de la libération collective traverse les contestataires des années 1970 et conduit à la création de troupes résolument engagées dans les combats sociaux et dans la conscientisation des classes dominées. Les plus radicales se trouvent en région, intégrées à la vie d'une collectivité, prenant fait et cause pour les luttes des travailleurs et dénonçant toutes les formes d'aliénation sociale. On trouve entre autres : Les Gens d'En-Bas, à Rimouski (1973), le Théâtre Euh !, à Québec (1970-1978), le Théâtre Sans Détour, à Montréal (1980), Le Parminou, à Québec puis à Victoriaville (1973). Ce dernier s'est doté d'une structure coopérative qui lui permet de s'engager dans la région des Bois-Francs et de susciter un véritable élan artistique. Toutes ces troupes sont des exemples d'engagement, de créativité, d'intransigeance et de constance. S'inspirant des théories de Brecht, de Boal, de l'agit-prop, du théâtre de contestation américain (The Living Theatre, The San Francisco Mime Troupe, The Bread and Puppet Theater), mais aussi des formes populaires de la commedia dell'arte, elles élaborent une esthétique qui s'oppose à celle du théâtre dit bourgeois. À l'illusion théâtrale on substitue la tribune ; au noir, la pleine lumière ; à la rêverie, la lucidité et la manifestation publique ; pas de décors, pas de « beaux » costumes, pas d'effets sonores ou lumineux coûteux ; si la fabulation et la fantaisie ne sont pas exclues, le message doit être simple et accessible à tous les publics. Les spectateurs sont souvent intégrés au spectacle et invités à prendre position dans le débat mis en scène.

Le théâtre et le mouvement féministe

Le mouvement féministe, dont le réveil est sonné par les porte-parole américaines et françaises, trouve les femmes québécoises prêtes à s'engager sur tous les fronts dans la lutte pour l'égalité. Les comédiennes qui travaillent déjà à diverses formes de libération, sociale ou nationale, croient pouvoir ajouter un objectif de plus à leurs engagements et les poursuivre simultanément. Déçues du timide accueil fait par le milieu à leur volonté de modifier *hic et nunc* les rapports hommes-femmes, des comédiennes se regroupent en cellules occasionnelles de travail à l'intérieur d'un collectif mixte pour créer des spectacles entièrement définis par leurs recherches et leurs préoccupations. D'autres préfèrent se dissocier des collectifs mixtes afin de poursuivre sans entraves, seules ou en équipe, leur démarche de femme.

Le Théâtre des Cuisines, fondé en 1973, regroupe des militantes féministes, des travailleuses, des chômeuses et quelques comédiennes. Leur premier spectacle, *Nous aurons les enfants que nous voulons,* prend position dans le débat sur la contraception et l'avortement ; le deuxième, au titre percutant de *Môman travaille pas, a trop d'ouvrage,* aborde la question du travail ménager et soulève la colère des groupes marxistes, pour lesquels la pièce n'analyse pas cette question suivant la « ligne juste ». La troupe donnera encore quelques spectacles avant de se dissoudre en 1981.

Des collectifs de femmes sont créés à Hull : le Théâtre des Filles du Roy (1976) ; à Québec, La Commune à Marie (1978) et Les Folles Alliées (1980-1990) ; et d'autres encore ailleurs dans la province. Les femmes y assument, outre la création et l'administration, tous les métiers réservés aux hommes comme l'éclairage et la régie. Des comédiennes du Théâtre expérimental de Montréal, après avoir travaillé en cellule autogérée et présenté *À ma mère, à ma mère, à ma mère, à ma voisine* (1979), se séparent du groupe pour former le Théâtre expérimental des femmes (TEF), dont Pol Pelletier sera la principale animatrice. Le TEF se donne pour mission d'allier la recherche sur le langage théâtral qui définissait le Théâtre expérimental de Montréal, dont il est issu, à l'exploration en profondeur du jeu au féminin et à la libération de l'expression des femmes. Pendant quelques années, la Maison Beaujeu, où s'est installé le TEF, sera un haut lieu de création et de rencontre des femmes. En 1983, sous le nom d'Espace Go (direction Ginette Noiseux), le TEF abandonnera son orientation radicale de théâtre de recherche féministe et s'imposera comme un lieu de création de très grande qualité.

La volonté de ne pas dissocier leur vie de femme et leur vie professionnelle amène aussi certaines comédiennes à vouloir prendre la parole en leur nom et en même temps à assumer la responsabilité entière de leur spectacle. La formule du *one woman show* apparaît la forme idéale. De ces spectacles solos, il faut mentionner le touchant *Ma p'tit'vache a mal aux pattes,* de Jocelyne Goyette (1980), et surtout le *Moman* (1979), de Louisette Dussault, dont le succès a largement dépassé le cadre limité des spectacles de femmes.

Le mouvement féministe et le théâtre institutionnel

Le féminisme trouve également écho sur les scènes des grands théâtres institutionnels. En 1976, un groupe de comédiennes commande à des auteurs des textes sur des questions de femmes. *La Nef des sorcières,* présentée sur la scène du Nouveau Monde, donne le coup d'envoi officiel de la parole féministe. En 1978, sur la même scène, Denise Boucher, avec *Les fées ont soif,* suscite la réaction de la droite laïque catholique et la censure du Conseil des arts de la région métropolitaine en même temps qu'elle est soutenue par un public féminin enthousiaste. La pièce, qui dénonce les trois rôles traditionnels réservés aux femmes, soit ceux de la vierge, de la mère et de la putain, a l'audace de mettre en scène une Vierge Marie statufiée qui se révolte contre l'ennui du rôle où on l'a confinée et retrouve peu à peu le plaisir d'un corps vivant et désirant. Les années qui suivent verront un accroissement important du nombre de femmes dramaturges et une présence plus marquée des thèmes féministes autant dans les œuvres écrites par les femmes que dans celles d'auteurs masculins, en particulier celle de Tremblay.

Le théâtre pour enfants

En 1967, Pauline Geoffrion fonde le Théâtre pour Enfants de Québec (TEQ). Dès la première année, le TEQ donne 54 représentations et rejoint 7 000 spectateurs avec *Farfadou et Farfadette autour du monde avec la fleur magique,* de Roland Ganamet, sous la responsabilité de Nicole Lapointe et de Pierre Régimbald. Le TEQ travaillera avec un grand nombre d'auteurs dont Monique Corriveau, Marc Legault, Pierre Morency, Patrick Mainville, Roland Lepage et Jean Royer. Lors de sa fondation en 1970, le Théâtre du Trident, qui entend regrouper toutes les activités théâtrales de Québec (répertoire, recherche et théâtre pour enfants), confie le théâtre pour enfants aux animateurs de l'ex-TEQ. Mais en 1973, il abandonne cette partie de sa mission.

À l'occasion d'Expo 67, le Théâtre du Rideau Vert se lance dans une grande aventure en présentant à la Place des Arts *L'Oiseau bleu,* de Maurice Maeterlinck. De 1968 à 1971, le Rideau Vert élabore un véritable théâtre permanent pour enfants à la Place des Arts. Il crée 10 spectacles et en produit 4 en reprise. Nicole Lapointe et Pierre Régimbald, André Pagé, Roland Lepage, Patrick Mainville en assurent la création. De 1971 à 1979, le Rideau Vert rapatrie son théâtre pour enfants dans sa salle de la rue Saint-Denis sous le nom de Manteau d'Arlequin 5/15, et en confie la direction à André Caillou.

En 1970, Jean-Yves Gaudreault lance le Théâtre des Pissenlits, qui sillonnera le Canada et les États-Unis. *Astéroïde B612* (une adaptation du *Petit Prince*) est présenté plus de 400 fois ; suivront : *La Foire aux fables; Gulliver,* adaptation des textes de Swift, et *Icare,* de Roland Lepage. En 1974, le Théâtre des Pissenlits s'associe au TNM, qui n'avait pas encore développé ce champ d'activité, et présente *Tit-Jean Margoton et le mauvais génie,* de Joseph Saint-Gelais. L'expérience tourne court.

Peu à peu, le théâtre pour enfants s'adapte plus précisément à son public ; on parle plutôt de théâtre pour l'enfance et la jeunesse : la petite enfance (de 4 à 8 ans), l'enfance (de 8 à 12 ans) et l'adolescence (de 12 à 16 ans).

Avec le Théâtre de la Marmaille (Montréal, 1972), Monique Rioux lance ses premiers ateliers d'écriture enfants-parents-comédiens en 1972. Sa démarche est exemplaire : il ne s'agit pas de transcrire ce que disent les enfants mais de retrouver l'esprit, les personnages et le type de rapports qu'ils vivent dans la famille, l'école et la société. Des auteurs-collaborateurs – Marie-Francine Hébert, Gilles Gauthier, Marcel Sabourin – se joignent à elle. Puis le groupe élargit son champ d'étude, tout en laissant intact le désir de rejoindre les enfants, et démontre qu'il peut aussi intéresser des auditoires adultes. *Pleurer pour rire,* de Marcel Sabourin (1984), *L'Histoire de l'oie,* de Michel-Marc Bouchard, *Les Nuages de terre,* de Daniel Danis, ont été présentés aux quatre coins du monde et devant des publics variés. Depuis 1994, La Marmaille poursuit sa carrière sous le nom de Théâtre des Deux Mondes.

Le Théâtre de Carton (Montréal, 1972) et le Théâtre de Quartier (Montréal, 1975) choisissent de plonger les enfants dans la société contemporaine et de les confronter aux problèmes qu'ils y rencontrent. Le premier propose aux jeunes d'apprivoiser des tabous comme le sexe et l'autorité familiale avec *Les enfants n'ont pas de sexe* (1981), *Te sens-tu serré fort?* (1978), *Si les ils avaient des elles* (1979), tandis que le second a produit plus de 30 spectacles animés ou écrits en collectif ou par Louis-Dominique Lavigne. On doit à ce dernier, entre autres : *On est capable!* (1977), *As-tu peur des voleurs?* (1977), *Où c'est qu'elle est ma gang?* (1980) et *Les Petits Orteils* (1991).

Le Carrousel (Montréal, 1975), avec *Une lune entre deux maisons* (1979), de Suzanne Lebeau et Georgette Rondeau, et *Petite ville deviendra grande* (1980), de Suzanne Lebeau, proposent aux jeunes des œuvres qui veulent décrire des situations réelles dans une langue vivante et poétique ; L'Arrière-Scène (Belœil, 1976), par sa démarche multidisciplinaire, se définit comme un théâtre d'avant-garde pour jeune public.

Le Sang neuf (Sherbrooke, 1973) offre des textes de qualité littéraire pour un public adolescent. Il s'est associé depuis quelques années avec Michel Garneau dont il a présenté *L'Épreuve du merveilleux* et *Le Banquet des petites personnes ou la Politesse du désespoir.* Le théâtre Entre Chien et loup et Le Double Signe (Sherbrooke,

1978) entendent émerveiller leur public et susciter des questions à partir de contes et légendes.

Certaines troupes comme Le Gros Mécano (Québec, 1976), Les Confettis (Québec, 1977), Le Petit à petit (Montréal, 1978) veulent plaire, distraire et séduire le jeune public par des propositions originales de jeux théâtraux où le comique, la surprise, le gag et le contact avec le public sont des éléments essentiels. L'Aubergine (Montréal, 1974) s'appuie sur l'art clownesque et la musique pour faire naître poésie et personnages. Il a à son actif 30 créations et plus de 2 000 représentations. Dynamo Théâtre (Montréal, 1981) propose la rencontre de gymnastes, de comédiens et de mimes dans des spectacles où l'acrobatie, le clown et le jeu masqué sont liés dans une forme inédite ; son spectacle *Mur-mur* a été présenté plus de 800 fois partout dans le monde. Le dialogue réduit à quelques phrases permet une large diffusion même dans les pays non francophones. Dans le même sens, le Théâtre de la Grosse Valise (1975) élabore des jeux masqués à mi-chemin entre la marionnette et l'acteur vivant.

La marionnette

Avant la venue de la télévision, quelques marionnettistes – Micheline Legendre et Charles Daudelin entre autres – présentent des spectacles de marionnettes à fils et à gaine à l'occasion des fêtes ou de Pâques. Par la suite, plusieurs groupes se forment sous l'influence de la télévision (que l'on pense aux marionnettes Pépinot, Capucine et Bobinette). C'est surtout dans le théâtre pour la petite enfance que l'on trouve les têtes de bois et de papier. Le Théâtre de l'Œil (Montréal, 1973) s'est acquis une solide réputation avec les conceptions scénographiques audacieuses de Richard Lacroix et l'ingéniosité de ses marionnettes avec voix en direct. L'Avant-pays (Montréal, 1975) propose des créations où l'écriture est directement liée à la marionnette manipulée à vue, entre autres : *Comment la terre s'est mise à tourner*. Les Amis de chiffon (Chicoutimi, 1973), le Théâtre de Sable (Québec, 1974) – avec *Le Rossignol et l'Empereur de Chine,* de

Gérard Bibeau d'après Hans Christian Andersen –, Les Marionnettes du bout du monde (Québec, 1979), L'Illusion, Théâtre de marionnettes (Montréal, 1979), sont autant de troupes qui proposent aux enfants des aventures merveilleuses.

Le Bread and Puppet Theater de Peter Schuman (1963) a inspiré quelques compagnies qui travaillent avec des marionnettes de dimensions variables manipulées à vue, et utilisent des effets spéciaux : laser, neige carbonique, lumière noire, pyrotechnie, musique, magie. *Le Seigneur des anneaux* (1985) et *Le Hobbit* (1986), de J. R. Tolkien, adaptés par Marielle Bernard, ont donné au Théâtre Sans Fil (Montréal, 1971) une renommée mondiale. Le texte, enregistré en plusieurs langues, s'adapte aisément à des publics partout dans le monde. Tandis que la Dame de cœur (Upton, 1976) présente, durant la saison estivale, des spectacles de marionnettes géantes sur l'eau qui rallient spectacle et fête champêtre.

Du conte populaire au récit réaliste, du ludique au poétique, le théâtre pour l'enfance et la jeunesse est devenu un mouvement original et dynamique. Ses animateurs ont réinventé le plaisir de jouer dans le rire, la tendresse et la poésie, en modifiant l'approche et le langage théâtraux. Ils créent leur répertoire, forment leurs acteurs et contrôlent leur mode de production pour atteindre une large diffusion. Quelques compagnies sont accueillies sur les scènes des festivals internationaux et obtiennent ainsi une reconnaissance que justifient leur originalité et la qualité de leur travail.

Les lieux théâtraux

Dès l'élaboration du projet d'Expo 67, les compagnies théâtrales invitées se plaignent que Montréal ne possède plus de salles suffisamment bien équipées pour les recevoir. On décide alors d'ajouter deux salles de théâtre adjacentes à la salle Wilfrid-Pelletier de la Place des Arts, l'une pour les spectacles de tournée, l'autre pour une compagnie locale. Le TNM rêve d'y être logé et de bénéficier des conditions d'une compagnie nationale.

Invité à titre de simple locataire, il emménage à la salle Port-Royal pour la saison 1967-1968. Après cinq ans, déçu – il juge la scène trop large, difficile pour la scénographie et la mise en scène et connaît des rapports difficiles avec l'administration –, le TNM obtient de l'État la subvention nécessaire à l'achat de la Comédie-Canadienne, que Gratien Gélinas doit mettre en vente. Le TNM s'installe chez lui pour la première fois.

La nouvelle Compagnie Jean Duceppe lui succède au Port-Royal en 1976 et s'accommode des contraintes de la salle et de l'institution. Le Théâtre du Trident (Québec, 1971) s'installe à la salle Crémazie du Grand Théâtre. La Nouvelle Compagnie théâtrale quitte le Gesù pour emménager à l'Est dans un ancien cinéma rénové qui prend le nom de Théâtre Denise-Pelletier en 1977.

De son côté, le jeune théâtre est partout au Québec : dans la rue, les cantines, les gymnases et les écoles. Les cafés-théâtres pullulent. À Montréal : le Café Nelligan, Les Fleurs du mal, L'Extase, le Café Molière, La Chaconne, Le Quartier latin, La Licorne, Le Funambule, Le Refuge ; à Québec, Le Petit Champlain, Le Zinc, le Café Rimbaud, Le Hobbit ; à Saint-Bruno, Le Horla ; à Belœil, le Pont tournant. À côté de ces lieux d'accueil, des troupes s'aménagent des lieux permanents : le Théâtre de la Grande Réplique dans un pavillon désaffecté de l'UQAM, L'Eskabel dans un ancien cinéma de Pointe-Saint-Charles, puis sur la rue Sanguinet, le Théâtre du Vieux-Québec à l'Institut canadien.

La multiplication de ces lieux de fortune par lesquels le théâtre est partout présent inquiète les compagnies établies qui voient là une concurrence déloyale et une pratique nuisible à leurs demandes réitérées pour qu'un soutien plus généreux de l'État leur permette d'améliorer leurs locaux.

La contestation des institutions culturelles

En 1973, les artistes de toutes disciplines se regroupent dans le Front commun des artistes du Québec, destiné à remplacer la Conférence canadienne des

Arts. Les Rencontres du Québec, sous le thème « Vous, les arts et l'État », proposent aux artistes de s'impliquer dans l'orientation des politiques culturelles et plus particulièrement dans l'aide à la création ; elles sont suivies par 500 participants partagés en 30 ateliers. Les contestataires sont devenus majoritaires. Le consensus se fait autour du rapatriement au Québec de la politique culturelle et des crédits qui y sont attachés. Vœu pieux.

De son côté, le jeune théâtre conteste la pratique professionnelle régie par les règles de l'Union des artistes. À la suite de longs débats enflammés, il réussit à faire reconnaître comme légitime, au sein de l'Union des artistes, une nouvelle façon de pratiquer la profession : l'autogestion, qui exige l'unanimité dans toutes les décisions. Pourtant, un grand nombre de praticiens du jeune théâtre abandonnent leur statut d'artistes professionnels pour celui d'artisans de théâtre et adhèrent à l'Association canadienne du théâtre amateur qui, sous la pression de ces nouveaux membres, deviendra en 1973 l'Association québécoise du jeune théâtre (AQJT) et donnera naissance, entre autres, à l'important mouvement du théâtre pour la jeunesse. La séparation définitive entre les professionnels et les amateurs, tant souhaitée par les professionnels depuis les années 1950, est compromise.

Dans la tourmente, le Conseil des Arts du Canada consolide quelques compagnies « d'intérêt national » dans la plupart des provinces et impose des normes administratives standardisées : conseil d'administration et directeur administratif reconnu. En 1967, 10 compagnies québécoises répondent aux « normes » et sont subventionnées. Par la suite, l'effet d'entraînement s'imposera aux récalcitrants et le nombre de compagnies québécoises subventionnées atteindra 15 en 1968, 35 en 1976, 80 en 1979. Quelques voix dissidentes, dont celle de Jean-Pierre Ronfard, se font entendre contre ces structures qui assimilent l'activité théâtrale aux activités commerciales :

> Entre ce langage économico-publicitaire convenant peut-être à l'industrie et au commerce en

gros et la réalité artisanale du théâtre, de même qu'entre les prétentions du ministère de la Culture à soutenir la création québécoise et la faiblesse des moyens qu'il consent à y consacrer, il existe des divorces grotesques que nous estimons devoir dénoncer.

Mais ce mode de fonctionnement permet aux théâtres institutionnels de serrer les rangs : ils forment une association professionnelle, l'Association des directeurs de théâtre (1972), qui devient, en 1984, les Théâtres Associés. Les autres professionnels aussi se regroupent dans les Théâtres Unis Enfance Jeunesse (TUEJ) et l'Association des producteurs de théâtre professionnel (APTP).

En 1976, le Conseil des Arts du Canada institue une commission d'enquête sur la formation théâtrale au Canada sous la direction de Malcolm Black. Dans son rapport, la commission conclut que la formation théâtrale au Canada s'est développée sans égards aux besoins réels de la profession. On souhaite aussi que le Québec rationalise sa formation par une hiérarchisation et une régionalisation des écoles. Mais à qui peuvent s'adresser les recommandations d'un rapport commandé par une institution fédérale sur des lieux de formation qui relèvent d'autorités québécoises ?

L'effervescence contestataire qui a nourri le jeune théâtre s'achève au Québec comme ailleurs autour des années 1980. L'espoir nationaliste qui avait réorienté la scène se brise à l'écueil de l'échec référendaire de 1980. Le théâtre, comme la société, abandonne les utopies et les projets qui l'avaient porté et orienté pendant plus de 10 ans. Cependant, le fait de s'être situé au cœur de la vie collective et d'avoir contribué à l'affirmation de l'identité québécoise lui confère désormais une légitimité indiscutable.

CHAPITRE V

Le théâtre professionnel
et les nouvelles pratiques (1980-1997)

> Monter Jarry, Muller, Beckett ou
> Maïakovski à Montréal, ça peut être
> aussi créateur que de monter un texte
> de Michel Garneau.
>
> Denis Marleau, *Les Cahiers*
> *de théâtre Jeu*, n° 36.

Après le foisonnement de la création québécoise et les mutations profondes de la société durant les années 1970, l'institution théâtrale a besoin de reprendre son souffle afin de développer les langages théâtraux qu'elle a commencé à expérimenter et de diversifier ses pratiques.

Les théâtres institutionnels et le répertoire

Paradoxalement, une large part des mises en scène européennes les plus audacieuses, à partir desquelles s'est renouvelé le langage scénique contemporain, se sont faites à partir d'œuvres classiques, françaises (les Molière de Planchon, de Chéreau, de Vitez), anglaises (les Shakespeare de Peter Brook de la Royal Shakespeare Company et d'Ariane Mnouchkine) et allemandes (le *Prince de Hombourg* de Karge et Langhoff). Le renouvellement de la scène ne passe donc pas nécessairement par l'écriture dramatique et s'affirme directement par l'écriture scénique des œuvres classiques.

Dans cet esprit, et après la vague du « québécois », revenant à leurs premiers choix, les théâtres institutionnels privilégient Shakespeare, Goldoni, Racine, Marivaux, Tchekhov, Euripide, de même que quelques œuvres contemporaines européennes (*Le Temps et la Chambre,* de Botho-Strauss, au TNM en 1995, *Quartett,* de Heiner Muller, à l'Espace Go en 1996. Dans des traductions québécoises, des œuvres américaines récentes où s'exprime la sensibilité contemporaine (par exemple celles de Cindy Lou Johnson ou de David Mamet) occupent aussi de plus en plus l'affiche au Quat'Sous. Une nouvelle génération de metteurs en scène – Lorraine Pintal, René-Richard Cyr, Alice Ronfard, Claude Poissant, Yves Desgagnés, Serge Denoncourt, Martine Beaulne, Denis Marleau – s'imposent par une approche et une interprétation plus audacieuses des œuvres autant classiques que contemporaines.

La création québécoise redevient plus rare dans les théâtres institutionnels (sauf au Théâtre d'Aujourd'hui, dont c'est le mandat), tout attentifs qu'ils sont aux risques financiers de la création ; ils se tournent toutefois vers les œuvres marquantes de 1950 à 1980 : *Tit-Coq* (1981) et *Les Fridolinades 1* et *2* (1986 et 1987), de Gratien Gélinas ; *Zone* (1984), *Florence* (1987) et *Les Beaux Dimanches* (1993), de Marcel Dubé ; plusieurs pièces de Michel Tremblay, dont *Les Belles-Sœurs* (1984) et *Albertine en cinq temps* (1996). Ces œuvres ont de nouveau démontré leur qualité. Le Théâtre d'Aujourd'hui offre de belles découvertes, comme *La Reprise,* de Claude Gauvreau, et *Les Muses orphelines,* de Michel-Marc Bouchard. Sous la direction de Michelle Rossignol, ce théâtre entend stimuler la création chez les dramaturges néo-québécois en organisant des lectures publiques de leurs œuvres et en les mettant à son programme. La Licorne, le Quat'Sous, la salle Fred-Barry accueillent aussi ces auteurs québécois d'origines diverses tels Marco Micone, Abla Faroud, Khaldoun Imam, Pan Bouyoucas, Eva Michailoff, Wajdi Mouawad.

Les nouvelles pratiques

Plusieurs animateurs qui travaillent en marge du théâtre institutionnel ont déjà mis en place leur propre style dans des créations significatives lorsque arrivent les années 1980.

Ces nouvelles pratiques, issues de courants européens, se développent rapidement de manière originale. Toutes rejettent l'esthétique réaliste. Les unes défendent une forme apolitique misant sur le langage du corps et de la voix, un texte minimal et des situations dramatiques modernes. Les autres explorent les mythes ou encore le mélange des genres et des formes théâtrales.

Ouvrent la décennie Jean-Pierre Ronfard, Robert Gravel et le groupe du Théâtre expérimental de Montréal, avec *Vie et mort du roi boiteux,* une saga de Jean-Pierre Ronfard. Josette Féral soulignera l'importance de cette pièce : « Rares sont les créations théâtrales de ces dernières années qui ont suscité [...] une si grande unanimité de la critique et un tel enthousiasme du public. » Cette parodie de Shakespeare apparaît comme une explosion fulgurante dans le courant contestataire des œuvres de Jean-Claude Germain, de Robert Gurik ou de Réjean Ducharme. Par la suite, Jean-Pierre Ronfard et le NTE explorent les mythes des civilisations précolombiennes, du Cyclope, de Marilyn Monroe, ou de la création (comme dans *Face à face,* écrit et joué par Jean-Pierre Ronfard et Robert Gravel). Le Théâtre du Kaléidoscope (1974) sous la direction de Marthe Mercure, aborde le tragique par la gestuelle dans *Antigone* (1980) et dans *Médée* (1982). Le Théâtre de l'Eskabel (1971-1988), dirigé par Jacques Crête, et l'Opéra-Fête (1979-1989) de Pierre A. Larocque recherchent des images neuves à partir d'ateliers de création et présentent des œuvres ésotériques surprenantes : *Créations collectives 1* et *2* (1973), *Fando et Lis,* d'Arrabal (1977), *India Song,* de Marguerite Duras (1979), *Splendide Hôtel, Séquence 0 et Séquence 1* (1982-1983).

Issus de l'École de mime Étienne Decroux, Gilles Maheu (Les Enfants du Paradis puis Carbone 14, 1975) et Jean Asselin (Omnibus, 1970), après quelques années de pratique rigoureuse du mime, se détachent de sa forme traditionnelle. Maheu oriente sa création vers la danse-théâtre dans des performances où la violence et la maîtrise du jeu physique dominent : *Le Rail* (1985), *Hamlet-Machine* (1987), *Le Dortoir* (1988), *La Forêt* (1995). Jean Asselin s'oriente, avec le *Cycle Shakespeare* (1988) et *La Célestine* (1990) vers une fusion du mime et du répertoire. Par ailleurs, Gabriel Arcand et Téo Spychalski poursuivent, à l'Espace La Veillée, une recherche sur le jeu de l'acteur dans la perpective de Grotowski avec *L'Idiot, Till l'espiègle, Artaud*. Denis Marleau et le Théâtre Ubu (1982) proposent une nouvelle interprétation des œuvres, en partie inspirée des formalistes russes et allemands des années 20 : *Le Cœur à gaz et autres textes Dada, Cantate grise,* montage de textes de Samuel Beckett, *Wozzeck,* de Büchner, et *Les Maîtres anciens,* de Thomas Bernhard (1995). Enfin Robert Lepage, avec le Théâtre Repère (Québec, 1980), après l'étonnant *Vinci* (1981) et le succès international de *La Trilogie des dragons* (1987), ouvre à la scénographie les voies de la technologie avec les *Plaques techtoniques, Les Aiguilles et l'Opium, Elseneur* et *Les Sept Branches de la rivière Ota.*

Le Théâtre de la Grande Réplique (1976-1986), s'inspirant des œuvres et des écrits de Bertolt Brecht, poursuit une recherche théâtrale tant esthétique que théorique en développant les techniques du montage de textes et du jeu distancié. À souligner : *Tant de recommandations et si peu de linge* (1978), *La fumée de mon cigare perdra la foi et continuera de monter* (1979), et *Visa pour l'Amérique* (1986), des montages de Madeleine Greffard, de même que *La Vie de Galilée* (1980), de Brecht. La Rallonge présente *Dans la jungle des villes,* de Brecht, dans une mise en scène de Lorraine Pintal (1981).

Divertissements populaires

Robert Gravel fonde la Ligue nationale d'improvisation (1980), sur le modèle du jeu de hockey. La longévité de la Ligue, son effet contagieux auprès des jeunes qui la démultiplient, sa pénétration de tous les publics par la télédiffusion, son internationalisation, la qualité et le nombre des comédiens qui y ont participé, ont donné à la pratique de l'improvisation un intérêt et un rayonnement imprévus. Par ailleurs, le spectacle *Broue,* qui s'inscrit dans la tradition des variétés avec un collage de textes de plusieurs auteurs sur le thème de la taverne, tourne depuis 1978 : on en a donné plus de 2 000 représentations.

Du collectif à l'individuel, une parole multiple et une écriture diversifiée (1980-1995)

La création collective et le théâtre engagé sont révolus. L'euphorie nationaliste se tait après la victoire du non, en mai 1980, au référendum sur la souveraineté du Québec. Le seul mouvement qui franchit le cap est le féminisme, qui a fait naître des femmes dramaturges et a thématisé leur théâtre.

Une nouvelle génération de dramaturges, pour la plupart très scolarisés, cumulant souvent des études universitaires dans diverses disciplines, des formations de comédiens et une expérience théâtrale, entrent dans le paysage dramaturgique. Par ailleurs, de 1978 à 1990, 17 écrivains formés spécifiquement à l'écriture dramatique sortiront de l'École nationale, et quelques-uns s'imposeront.

Parmi cette nouvelle génération de dramaturges, Normand Chaurette et René-Daniel Dubois brisent radicalement avec le code réaliste en éliminant toute valeur référentielle typiquement québécoise autant dans les sujets que dans la langue. En même temps, Michel Tremblay poursuit son œuvre avec des pièces d'envergure et influence encore une partie des nouveaux auteurs.

Les voix nouvelles

La première pièce de Normand Chaurette, *Rêve d'une nuit d'hôpital* (1980), se situe d'emblée dans ce qui polarisera son univers dramatique. Avec le personnage de Nelligan, le jeune auteur interroge le destin de l'artiste dans la société québécoise, le mystère de la création, la folie et la mort. Loin d'une reconstitution biographique et réaliste, le dramaturge rêve en toute liberté la figure du poète en même temps qu'il théâtralise en 12 tableaux des fragments réels ou imaginaires de sa vie. Tout conflit traditionnel est évacué, le monde apparaît dans la double distance de la folie (ou de la création) et de l'incompréhension. La répudiation de l'esthétique réaliste s'accompagne naturellement d'une rupture avec le joual. L'auteur accorde oralité et poésie. Avec *Provincetown Playhouse, juillet 1919, j'avais 19 ans* (1982), Chaurette poursuit son exploration thématique et formelle sur un ton lyrique et passionné. Dans le passage du meurtre simulé à son accomplissement (dans la réalité de la fiction ou dans l'imaginaire du héros) sont étroitement imbriquées passion homosexuelle, création et démence. *Les Reines* (1991), *La Société de Métis* (1986) et *Fragments d'une lettre d'adieu lus par des géologues* (1988) ont été davantage des succès d'estime. Ce théâtre, aux antipodes du code de jeu et de mise en scène réalistes qui prévaut depuis 30 ans, n'avait peut-être pas jusqu'alors rencontré un metteur en scène et des interprètes qui sachent se mettre à son diapason. Le succès, au Festival d'Avignon en 1996, du *Passage de l'Indiana* mis en scène par Denis Marleau a donné à Chaurette une reconnaissance internationale et, par ricochet, nationale.

René-Daniel Dubois attire l'attention avec *Panique à Longueuil* (1980), qui, à travers une intrigue, des situations et des personnages réalistes, fait une incursion du côté de l'absurde et de l'inconscient, utilisant une langue parfois quotidienne, parfois littéraire. *Ne blâmez jamais les bédouins* (1984), jugée impossible à monter, est lue par son auteur, puis produite 10 ans plus tard en spectacle solo pour le jeune public de la NCT. Mais c'est avec *Being at Home with Claude* (1986), que Dubois gagne une large audience. À travers la confrontation d'un enquêteur de police et d'un présumé meurtrier, l'auteur, qui, généralement, se joue du code théâtral, retrouve la force d'une parole et d'une situation dramatiques. Au dénouement, son éclatant lyrisme célèbre l'amour homosexuel dont la mystique s'accomplit par le meurtre. Le succès de la pièce incite Jean Beaudin à la transposer au cinéma où elle connaît aussi le succès. *Le Troisième Fils du professeur Youroulov* (1987) et *Laura ne répondait rien* (1990) reprennent, à travers une structure complexe basée sur un récit fragmenté, le thème de l'amour qui ne peut s'accomplir que dans la séparation ou la mort.

La disparition d'éléments référentiels et le refus de l'effet miroir attaché au réalisme, la rupture avec le drame traditionnel, une parole qui semble parfois perdre sa fonction de communication pour se célébrer elle-même, expliquent sans doute la difficulté d'adhésion d'un large public.

La voix des femmes

La majorité des femmes qui sont entrées au théâtre dans les années 1980 l'ont fait dans la foulée du mouvement féministe. Jovette Marchessault a su concilier démarche d'écrivain et option féministe. De *La Saga des poules mouillées* (1981) au *Voyage magnifique d'Emily Carr* (1990), à travers des personnages de femmes artistes du Québec et d'ailleurs, elle a posé, dans une langue et un lyrisme qui refusent de s'assujettir au réalisme, la double problématique de la femme et de l'artiste.

De leur côté, Élisabeth Bourget, Jeanne-Mance Delisle et Maryse Pelletier ont traité de thèmes féministes en inscrivant leurs œuvres dans des genres traditionnels : boulevards, drames réalistes ou naturalistes. Marie Laberge, dont les premières pièces ont été jouées à Québec en 1979, s'est imposée à Montréal avec *C'était avant la guerre à l'Anse à Gilles* (1980) où l'héroïne, célibataire dans le Québec rural des années 1930, refuse les contraintes, les limites et les servitudes que tente de lui imposer son milieu. Après avoir exploré la forme épique dans *Ils étaient venus pour...* (1981), l'auteur revient aux drames réalistes et psychologiques dans des pièces comme *L'Homme gris* (1984), *Jocelyne Trudelle trouvée morte dans ses larmes* (1986) et *Oublier* (1987).

Le courant dominant

Michel Tremblay domine encore la scène, et son influence, thématique, formelle ou linguistique, se retrouve – d'une manière plus ou moins marquée selon les cas – chez une partie importante des jeunes auteurs.

Le dramaturge qui, avec les *Chroniques du Plateau Mont-Royal,* connaît le succès comme romancier, donnera encore six pièces, sans compter les adaptations et le livret de l'opéra *Nelligan,* sur une musique d'André Gagnon. *Albertine en cinq temps* (1984) et *Le Vrai Monde?* (1987) apparaissent comme des œuvres majeures. Outre des innovations formelles, comme la démultiplication d'un personnage, la mise en scène simultanée du monde imaginaire et du monde réel, elles offrent un approfondissement de certains thèmes récurrents dont la difficulté de la vie des femmes et le rapport entre le réel et l'imaginaire. *Le Vrai Monde?* plaide pour l'interprétation pulsionnelle des faits contre la réalité, pour la légitimité de la prise de parole du fils (et du dramaturge) au nom de sa mère (et des femmes). *Messe solennelle pour une pleine lune d'été* renoue, de façon inattendue, avec le vieux fonds religieux et transcende l'antinomie spirituel/ sexuel qui structurait *Damnée Manon, sacrée Sandra* (1977). Mais la célébration païenne de la passion charnelle d'un jeune couple d'amoureux insatiables se transforme vite en complainte des amants déçus. Les personnages ne sont plus qu'une seule voix, celle des victimes impuissantes et souffrantes de la passion.

Michel-Marc Bouchard, le plus populaire des jeunes auteurs à s'inscrire dans la filiation de Tremblay, est le seul de sa génération à connaître les grandes scènes : le Centre national des arts, à Ottawa, et le TNM, à Montréal, avec *Les Feluettes ou la Répétition d'un drame romantique* (1987) et *Le Voyage du couronnement* (1995). À travers une structure très libre, marquée par les procédés contemporains de mise en abîme, de jeu de rôle et de psychodrame, il reprend la thématique du drame naturaliste et référentiel : inceste, amours homosexuelles sous le signe de l'interdit, drames familiaux, dans un contexte local et daté. Ses personnages, homosexuels ou artistes – ou les deux –, célèbrent l'accomplissement de leur destinée individuelle dans l'amour, le meurtre, la mort, la folie. On retrouve dans *Les Feluettes* l'opposition de deux cultures, celle de Français émigrés, plus ouverts à toutes les formes de l'amour, et celle de Québécois, qui vivent la répression sexuelle sous la domination de l'Église; Bouchard oppose aussi divers niveaux de langue : une langue correcte et figée, parlée par de faux nobles, la langue littéraire des extraits de *Saint Sébastien*, de Gabriele d'Annunzio, et la langue québécoise parlée.

Les années 1990 voient arriver une nouvelle génération : Jean-Marc Dalpé, Daniel Danis, Jean-François Caron, Michel Monty, Jean-Frédéric Messier. Les thématiques ne sont pas nécessairement nouvelles et, bien que le récit l'emporte sur le conflit en acte, dans *Le Chien* (1988), de Jean-Marc Dalpé et *Celle-là* (1993), de Daniel Danis, par exemple, l'univers mis en scène, s'il est situé dans un ailleurs géographique ou temporel (le nord de l'Ontario, le Québec d'avant la Révolution tranquille), fait écho à l'univers type de la dramaturgie québécoise : violence et frustration dans les relations familiales, milieu étroit et invivable, répression sexuelle. Avec *Cendres de cailloux* (1993), cependant, Daniel Danis met en scène une fable nouvelle et originale dans un style dur et poétique. Dominic Champagne, avec *La Cité interdite* (1991), et Jean-François Caron, avec *J'écrirai bientôt une pièce sur les Nègres* (1989), donnent, en choisissant de parler du mouvement révolutionnaire du FLQ, des pièces de ton et de facture opposés. *La Cité interdite,* qui met en question l'intégration sociale des ex-révolutionnaires et de toute leur génération, fonctionne comme une pièce bourgeoise, alors que *J'écrirai bientôt une pièce sur les Nègres,* qui réactive la problématique révolutionnaire, joue de tous les ressorts de la mise en abîme tout en gardant à l'intérieur des différents morceaux cités – roman, pièce – un naturalisme provocant. *Le dernier délire permis* (1990), de Jean-Frédéric Messier, dans un jeu d'intertextualité avec le *Dom Juan* de Molière, par l'inversion des rôles, des sexes, dit une partie de la jeunesse d'aujourd'hui à l'hétérosexualité fragile, l'homosexualité latente, et le non-engagement dans sa propre vie. Le registre est simultanément prosaïque et poétique, le joual y devient citation. On retrouve la grâce de Réjean Ducharme, auteur auquel les protagonistes eux-mêmes font référence.

La dramaturgie québécoise, vieille d'à peine un demi-siècle, donne l'impression déjà, malgré son dynamisme, de se lover dans sa jeune mémoire sans qu'on puisse pressentir d'où viendra le vent qui lui donnera un souffle nouveau.

Les États généraux du théâtre

Les intervenants politiques, économiques et sociaux font pression sur l'État qui se veut le grand rassembleur de toutes les énergies créatrices d'emploi et de prospérité. Dans ce concert, les États généraux du théâtre (1981) font entendre la voix des artistes et d'une centaine de compagnies et d'organismes de théâtre professionnel.

La prise en main du théâtre
par les artistes et les artisans

Si le Front commun des artistes du Québec (1973), s'est révélé surtout une prise de conscience des questions litigieuses et un moyen de pression, les États généraux du théâtre recueillent un large consensus sur différents thèmes regroupés en une centaine de propositions ; les principales demandes du milieu sont : l'augmentation des subventions, la consultation des artistes et leur participation aux prises de décisions des diverses institutions, le développement du théâtre en dehors des grands centres et la construction de salles moyennes de 200 à 400 places. Enfin, les États généraux créent le Conseil québécois du théâtre.

Les nouvelles interventions de l'État

Le ministère des Affaires culturelles devient en 1990 le ministère de la Culture, et l'octroi des subventions est désormais géré par le Conseil des arts et des lettres du Québec, un organisme semblable au Conseil des Arts du Canada.

En réponse au Conseil québécois du théâtre, devenu, par le sérieux de ses revendications et sa détermination à les voir se réaliser, un groupe de pression incontournable, l'État diversifie ses interventions avec la collaboration de plusieurs ministères et agences ; le ministère des Affaires intergouvernementales du Québec et le ministère des Affaires extérieures du Canada apportent leur aide à la diffusion du théâtre à l'étranger (tournées, festivals, résidences) ; le ministère de l'Industrie et du Commerce du Québec subventionne certains projets considérés comme rentables ; et, dans le cadre des programmes d'aide à l'emploi, les ministères responsables, tant à Ottawa qu'à Québec, assument les frais de l'engagement du personnel artistique, administratif et technique. Les gens de théâtre sont devenus des professionnels qui demandent d'être traités comme tous les autres intervenants économiques du Québec et du Canada.

L'apparition de nombreuses salles moyennes

L'État accorde les subventions que nécessitent la rénovation ou la construction de salles pour des compagnies issues des années 1970. À Montréal, la réunion du Théâtre expérimental de Montréal, d'Omnibus et de Carbone 14 à l'Espace libre sonne le début des investissements dans les salles moyennes (1979) ; La Veillée achète un cinéma rue Ontario et s'y installe (1985). En 1993, l'Espace La Veillée est entièrement rénové et peut accueillir 220 spectateurs. En 1989, La Licorne quitte son restaurant de fortune boulevard Saint-Laurent pour ouvrir deux petites salles rue Papineau. Depuis 1990, le Théâtre d'Aujourd'hui est installé rue Saint-Denis dans une salle transformable, d'une capacité maximale de 400 places. L'Espace Go se fait construire un immeuble boulevard Saint-Laurent (1995) tandis que Carbone 14 quitte l'Espace libre pour l'Usine C (1995). Enfin La Maison du théâtre pour l'enfance et la jeunesse fait peau neuve au cégep du Vieux-Montréal (1997). Un nouveau pas est franchi dans la qualité des lieux théâtraux.

Les compagnies errantes peuvent maintenant être accueillies par des salles nouvelles : Le Gesù et le Monument-National (entièrement rénovés et dotés chacun de deux salles), La Bibliothèque et La Chapelle sans compter le réseau des maisons de la culture mis en place par la Ville de Montréal. Le théâtre amateur dispose du centre culturel Calixa-Lavallée et de la salle Olivier-Guimond du centre Guybourg. Enfin, les compagnies institutionnelles propriétaires de petites salles les mettent en location : le Café de la Place et la Cinquième Salle de la Place des Arts, la salle Fred-Barry de la Nouvelle Compagnie théâtrale. Le théâtre montréalais est convenablement abrité.

Par ailleurs, Québec peut compter sur le Grand Théâtre et ses deux salles, sur le Capitole, l'Institut canadien, le Théâtre de la Bordée, le Périscope, le Palais Montcalm, la salle Albert-Rousseau, la salle Dina-Bélanger et plusieurs autres lieux qui se transforment selon les besoins et les occasions. Depuis 1994, Méduse regroupe 11 organismes d'art visuel et multimédia ; la salle Multi accueille des expériences théâtrales et certains spectacles, en particulier dans le cadre du Carrefour international de théâtre. Robert Lepage et sa compagnie, Ex-Machina, trouvent un lieu de recherche dans une ancienne caserne de pompiers de la basse-ville (1997).

Des villes comme Sherbrooke, Chicoutimi, Jonquière, Rivière-du-Loup et plusieurs autres voient aussi se multiplier les salles au fur et à mesure que se développent les besoins et le dynamisme des animateurs.

Par ailleurs, il ne faut pas oublier la cinquantaine de théâtres d'été qui peuvent accueillir de 400 à 600 spectateurs chaque soir, de juin à septembre. Parmi ceux-ci, lieux d'été à proximité des grandes villes se distinguent de la production courante en présentant du répertoire classique et contemporain : le Théâtre du Bois-de-Coulonge (Sainte-Foy, 1977), fondé par Jean-Marie Lemieux et auquel François Tassé a été longtemps associé, compte à son crédit une vingtaine de spectacles de répertoire dont *La Mégère apprivoisée,* de Shakespeare, et *Oncle Vania,* de Tchekhov ; le Théâtre des Gens d'En-Bas, dirigé par Eudore Belzile (Le Bic, 1973), a présenté *Gilmore,* et *Jacques et son maître,* de Milan Kundera, deux mises en scène de Martine Beaulne soulignées par des prix en 1994 et en 1995. La compagnie ProFusion au Théâtre du Vieux-Terrebonne (*La Mandragore,* de Machiavel/Ronfard en 1991, *L'Avare,* de Molière (1995), *Bousille et les justes,* de Gélinas) se distingue par la qualité de son répertoire.

Le rayonnement international

Depuis toujours, le théâtre professionnel se bute à une contrainte fondamentale, soit la nécessité d'attirer le public. Aujourd'hui, des spécialistes formés en marketing conçoivent le théâtre comme un produit de consommation et utilisent les stimuli publicitaires habituels : l'image accrocheuse et le slogan qui fait mouche ; ils y ajoutent l'abonnement, les rabais, les tirages et surtout la participation de vedettes de la télé ; le tout est devenu essentiel au « produit théâtral ». Les médias jouent le rôle d'agent de promotion, de témoin et de critique. À l'approche d'un spectacle, les médias accueillent gracieusement des vedettes, ce qui augmente leurs cotes d'écoute, donc leurs revenus ; de leur côté, les artistes séduisent et attirent un public potentiel sans frais ; chacun y trouve son compte, mais l'auditoire est parfois dupé.

Il était de tradition d'envoyer à l'étranger les grandes compagnies à titre d'ambassadeurs culturels ; cette mission officielle fait place à un libre marché : plusieurs compagnies offrent leurs spectacles à des « tourneurs » qui les proposent à leur tour à des producteurs à travers le monde par l'intermédiaire de Rideau et du Cinars, des agences de promotion et de diffusion nationale et internationale. Le marketing, la connaissance des réseaux de diffusion en Amérique, en Europe et en Asie permettent des tournées de centaines de représentations, souvent en plusieurs langues. Le rayonnement de certaines troupes à l'extérieur du Québec est étonnant et méconnu. Outre Robert Lepage et Carbone 14, on retrouve des troupes de théâtre pour la jeunesse ou pour jeunes adultes comme le Dynamo Théâtre, le Théâtre des Deux Mondes, le Théâtre Sans Fil, le Théâtre du Carrousel. Devant la difficulté de diffuser normalement leurs œuvres au Québec, certaines compagnies produisent maintenant surtout pour l'exportation. Parallèlement, le Centre d'essai des auteurs dramatiques travaille à la diffusion des œuvres de ses membres à l'étranger. En France et à New York, des auteurs sont invités à écrire en résidence. Suzanne Lebeau, Marie Laberge, Normand Chaurette ont bénéficié de cette expérience. De nombreux auteurs voient leurs œuvres traduites en plusieurs langues et jouées ailleurs qu'au pays.

Enfin nombre de créateurs québécois participent aux festivals d'Avignon, de Berlin, de Londres ou de Paris et obtiennent ainsi une reconnaissance et une consécration internationales. Par ailleurs, le Festival des Amériques et la Quinzaine internationale de Québec accueillent des œuvres importantes du théâtre actuel comme *La Classe morte,* de Tadeuz Kantor, montée par le Cricot 2 (1991), *Les Atrides,* d'Ariane Mnouchkine (1992), *Le Tartuffe,* de Molière, mis en scène par Benno Besson (1996), *Oh! les beaux jours!,* de Beckett, monté par Peter Brook (1996). Le public peut ainsi apprécier des spectacles contemporains significatifs.

L'Union des artistes, sous la présidence de Serge Turgeon (1985-1997), a obtenu du ministère du Revenu du Québec la reconnaissance du statut de travailleur autonome, ce qui permet à ses membres de bénéficier de certaines déductions fiscales et aussi de revendiquer leur participation à l'économie du pays. Une reconnaissance analogue du gouvernement fédéral se fait encore attendre.

La période allant de 1980 à 1997 a permis aux artistes de théâtre de s'imposer comme des gens de métier qui entendent faire du théâtre un art et une industrie et inscrire leurs pratiques dans les circuits nationaux et internationaux.

Épilogue

Entre un théâtre dans le sillage de la France, modèle à la fois stimulant et aliénant, et une influence américaine réelle, plus occultée qu'avouée, le théâtre québécois a su trouver sa voie vers une pratique qui lui soit propre. L'activité théâtrale, maintenant nombreuse et diversifiée, conservatrice, audacieuse ou provocatrice, trouve un public. Principalement concentrée à Montréal, même si Québec a aussi quelques troupes régulières, elle n'est pourtant pas assise dans les régions et aucune véritable politique de tournées ne permet de les rejoindre. En un demi-siècle, le public de théâtre a à peine triplé. Peut-on encore rêver d'un théâtre national et populaire, ou tout au moins d'un théâtre grand public qui ne soit ni *Aurore l'enfant-martyre* ni *Broue*? Quand il cesse d'être un divertissement pour se définir comme une pratique artistique et culturelle, le théâtre, comme tous les arts, doit compter sur un public fervent mais limité. Mais dans beaucoup de cas, la scène locale ne constitue plus qu'une partie des spectateurs. Beaucoup de troupes, en particulier celles des nouvelles pratiques et du théâtre pour l'enfance et la jeunesse, trouvent dans le monde entier les publics que peuvent rejoindre leurs spectacles. Les comédiennes et comédiens redeviennent, à l'orée du XXIe siècle, les nomades qu'ils furent à certaines époques, depuis Thespis, sans l'exclusion sociale qu'ils subissaient alors.

Après s'être rêvé pur jeu à travers le tréteau nu de Copeau, l'espace vide de Peter Brook et le théâtre pauvre de Grotowski, le théâtre occidental est maintenant subjugué par le spectaculaire. Le directeur d'acteurs s'est effacé au profit du metteur en scène, et celui-ci cède de plus en plus de terrain au scénographe qui sait solliciter toutes les magies de la scène, machinerie et éclairage, pour faire du théâtre un art visuel. Le théâtre québécois n'échappe pas à cette tendance.

Depuis les années 1980, le théâtre est devenu fortement auto-référentiel. La dramaturgie québécoise retrouve difficilement le lien étroit qu'elle avait su nouer avec le public à travers une commune quête d'identité. Le spectateur conquis par la scène qui lui tendait un miroir de lui-même accepte mal que s'affaiblisse la fonction référentielle de *sa* dramaturgie. Aussi a-t-il tendance à privilégier de façon conservatrice le type de personnages et le langage auxquels il l'a identifiée ; peut-être que seul un geste politique pourrait délivrer le spectateur de cette symbolique d'enfermement, de redites et d'avenir bloqué que constitue aujourd'hui encore *la* dramaturgie.

Si l'histoire et l'art sont imprévisibles dans leur devenir, on peut du moins être assuré que le théâtre québécois continuera d'appartenir à l'une et d'évoluer avec l'autre.

Repères bibliographiques

BEAUCHAMP, Hélène, *Le Théâtre pour enfants au Québec : 1950-1980,* Montréal, Hurtubise HMH, coll. « Cahiers du Québec/Littérature », 1985, 306 p., ill.

BENSON, Eugene et L. W. CONOLLY, *The Oxford Companion to Canadian Theatre,* Toronto, Oxford, New York, Oxford University Press, 1989, 662 p., ill.

BÉRAUD, Jean, *350 ans de théâtre au Canada français,* Montréal, Le Cercle du Livre de France, « L'Encyclopédie du Canada Français », 1958, 316 p.

BOURASSA, André-G. et Jean-Marc LARRUE, *Les Nuits de la « Main ». Cent ans de spectacles sur le boulevard Saint-Laurent (1891-1991),* Montréal, VLB éditeur, coll. « Études québécoises », 1993, 361 p., ill.

BRISSET, Annie, *Sociocritique de la traduction. Théâtre et altérité au Québec (1968-1988),* Longueuil, Le Préambule, coll. « L'Univers des discours », 1990, 347 p.

BURGER, Baudoin, *L'Activité théâtrale au Québec (1765-1825),* Montréal, Parti Pris, 1974, 410 p.

CARON, Anne, *Le Père Émile Legault et le Théâtre au Québec,* Montréal, Fides, 1978, 185 p., ill.

DASSYLVA, Martial, *Un théâtre en effervescence. Critiques et chroniques, 1965-1972,* Montréal, La Presse, coll. « Échanges », 1975, 283 p.

DAVID, Gilbert, et Pierre LAVOIE (dir.), *Le Monde de Michel Tremblay,* Montréal/Bruxelles, Cahiers de théâtre Jeu/Lansman, 1993, 479 p., ill.

Dictionnaire des œuvres littéraires du Québec, Montréal, Fides, tomes I à V sous la direction de Maurice Lemire, tome VI sous la direction de Gilles Dorion.

FÉRAL, Josette, *La Culture contre l'art,* Sillery, Presses de l'Université du Québec, 1990, 341 p.

GOBIN, Pierre, *Le Fou et ses doubles : figures de la dramaturgie québécoise,* Montréal, P.M.U., coll. « Lignes québécoises », 263 p.

GODIN, Jean-Cléo et Laurent MAILHOT, *Le Théâtre québécois. Introduction à dix dramaturges,* Montréal, Hurtubise HMH, 1970, 254 p.

GODIN, Jean-Cléo et Laurent MAILHOT, *Théâtre québécois II. Nouveaux auteurs, autres spectacles,* Montréal, Hurtubise HMH, 1980, 247 p.

GRUSLIN, Adrien, *Le Théâtre et l'État au Québec,* Montréal, VLB éditeur, 1981, 413 p., ill.

HAMELIN, Jean, *Le Renouveau du théâtre au Canada français,* Montréal, Éditions du Jour, 1961, 159 p., ill.

HÉBERT, Chantal, *Le Burlesque au Québec, un divertissement populaire,* Montréal, Hurtubise HMH, coll. « Cahiers du Québec/Ethnologie », 302 p., ill.

LAFLAMME, Jean et Rémi TOURANGEAU, *L'Église et le théâtre au Québec,* Montréal, Fides, 1979, 355 p.

LAROCHE, Maximilien, *Marcel Dubé,* Montréal, Fides, coll. « Écrivains canadiens d'aujourd'hui », 1970, 191 p.

LARRUE, Jean-Marc, *Le Théâtre à Montréal à la fin du XIXe siècle,* Montréal, Fides, 1981, 139 p.

LARRUE, Jean-Marc, *Le Monument inattendu. Le Monument-National, 1893-1993,* Montréal, Hurtubise HMH, coll. « Cahiers du Québec », 1993, 322 p., ill.

LEGRIS, Renée, Jean-Marc LARRUE, André-G. BOURASSA et Gilbert DAVID, *Le Théâtre au Québec 1825-1980,* Montréal, VLB éditeur, 1988, 205 p., ill.

SABOURIN, Jean-Guy, *Les Vingt-Cinq Ans du TNM. Son histoire par les textes.* Montréal, Leméac, 1976, 2 vol.

SICOTTE, Anne-Marie, *Gratien Gélinas,* Montréal, Québec-Amérique, 2 vol., 1995.

WYCZYNSKI, Paul, Bernard JULIEN et Hélène BEAUCHAMP-RANK (dir.), *Le Théâtre canadien-français,* Montréal, Fides, coll. « Archives des Lettres canadiennes », tome V, 1976, 1 005 p., ill.

PÉRIODIQUES

Les Cahiers de théâtre Jeu, Montréal, 1976.

L'Annuaire théâtral, Montréal, Société d'Histoire du théâtre du Québec, 1985.

Theatre History in Canada/Histoire du théâtre au Canada, Toronto/Kingston, 1980.

Annexe

Quelques dates importantes touchant l'institution théâtrale, les compagnies, les auteurs et les praticiens dans l'histoire du théâtre au Québec

1606   *Le Théâtre de Neptune,* de Marc Lescarbot, premier spectacle en français en Amérique.

1692   « L'affaire *Tartuffe*». Le gouverneur Frontenac autorise la présentation de l'œuvre de Molière, mais Mgr de Saint-Vallier s'y oppose.

1790   *Colas et Colinette,* de Joseph Quesnel, première opérette en français en Amérique.

1825-1957   Le Royal Molson (1825-1848), Le Royal Côté (1852-1913), l'Academy of Music (1870-1910), Her Majesty's (1898-1957), sont les principales salles anglophones de Montréal.

1842   *La Donation,* de Pierre Petitclair, première œuvre parue et publiée d'un auteur né au Québec.

1844   *Le Jeune Latour,* d'Antoine Gérin-Lajoie, première tragédie d'un auteur québécois.

1880   *Papineau* et *Le Retour de l'Exilé,* de Louis Fréchette, à l'Academy of Music à Montréal.

1880-1917 Grandes tournées d'artistes français : Sarah Bernhardt, Coquelin l'aîné, Mounet-Sully, Segond-Werber, Jane Hading, organisées par des tourneurs new-yorkais.

1894
(1893) L'Association Saint-Jean-Baptiste fait construire le Monument-National.

1898-1901 Le Théâtre des Variétés, première troupe professionnelle de théâtre francophone. On y retrouve les premiers acteurs québécois : Palmieri, Filion, Hamel, et Daoust avec les pionniers Blanche de la Sablonnière et Victor Brazeau.

1900-1952 Théâtre National, Montréal.

1902-1908 Théâtre des Nouveautés, Montréal.

1930-1933 Troupe Barry-Duquesne, première troupe dirigée par des Québécois.

1937 Fondation de l'Union des artistes.

1937-1952 Les Compagnons de Saint-Laurent (direction : Émile Legault).

1943-1947 L'Équipe, Montréal (direction : Pierre Dagenais).

1951 Fondation du Théâtre du Nouveau Monde (TNM), Montréal (direction : Jean Gascon).

1953 *Zone*, de Marcel Dubé, au Dominion Drama Festival.

1953-1964 Théâtre-Club (Montréal) (direction : Jacques Létourneau et Monique Lepage).

1955 Création de La Roulotte par le Service des parcs de la Ville de Montréal (direction : Paul Buissonneau).

Fondation du Théâtre de Quat'Sous (direction : Paul Buissonneau).

Ouverture du Conservatoire d'art dramatique du Québec à Montréal (direction : Jan Doat).

1956 Institution du Conseil des arts de la région métropolitaine (Canada Council/Conseil des Arts du Canada).

1956-1957 Théâtre de Dix Heures, Montréal (direction : Jacques Languirand).

1956-1968 Les Apprentis-Sorciers, Montréal (direction : Jean-Guy Sabourin).

1957-1967 L'Estoc, Québec (direction : Jean-Louis Tremblay, André Ricard et Paul Buissières).

1958-1970 Comédie-Canadienne (direction : Gratien Gélinas).

1958 Ouverture du Conservatoire d'art dramatique du Québec, à Québec.

1958-1972 Association du théâtre amateur du Canada (ACTA) (direction : Guy Beaulne).

1958-1981 Théâtre international de Montréal (direction : Janine Beaubien).

1959-1968 Théâtre de l'Égrégore, Montréal (direction : Françoise Berd).

1960 Fondation de la National Theatre School/l'École nationale de théâtre (direction : Jean Gascon).

1961 Création du ministère des Affaires culturelles de la province de Québec.

1962-1969 Les Saltimbanques, Montréal (direction : Rodrig Mathieu, Pierre Moretti et Robert Singher).

1963-1994 Centre dramatique du Conservatoire – qui deviendra le Théâtre populaire du Québec en 1966 (direction : Jean Valcourt).

1964 Ouverture de la Place des Arts.

1964 Nouvelle Compagnie théâtrale, Montréal (direction : Gilles Pelletier, Françoise Gratton et Georges Groulx).

1965 Fondation du Centre d'essai des auteurs dramatiques (CEAD).

1966-1968 Mouvement contemporain, Montréal (direction : André Brassard).

1968	*Les Belles-Sœurs,* de Michel Tremblay, au Rideau Vert (mise en scène d'André Brassard).
1968	Ouverture de l'Option Théâtre au cégep Lionel-Groulx, de Sainte-Thérèse (direction : Jean-Robert Rémillard).
1968	Théâtre d'Aujourd'hui, Montréal (direction : Jean-Claude Germain). *(Jean-Pierre Saulnier est le ser directeurs)*
1969	Fondation du Centre national des arts (CNA), Ottawa.
1969-1970	Théâtre du Capricorne, Ottawa (direction : Jean-Guy Sabourin).
1969	Fondation de la Centaur Theatre Company (direction : Maurice Podbrey).
1969	Création du baccalauréat en art dramatique à l'université du Québec à Montréal (UQAM).
	Ouverture de l'Option théâtre au cégep Bourgchemin de Saint-Hyacinthe (direction : Claude Grisé).
1970	Fondation d'Omnibus, Montréal (direction : Jean Asselin et Denise Boulanger).
1971-1988	Théâtre de l'Eskabel, Montréal (direction : Jacques Crête).
1971	Fondation du Théâtre du Trident, Québec (direction : Paul Hébert).
1971	*La Sagouine,* d'Antonine Maillet, au Rideau Vert.
1972-1986	L'Association québécoise du jeune théâtre (AQJT) succède à l'ACTA.
1973	Fondation de la Compagnie Jean Duceppe, Montréal.
	Fondation des Gens d'En-Bas, Rimouski (direction : Eudore Belzile).
1973-1981	Théâtre des Cuisines, Montréal (collectif Solange Collin, Carole Fréchette et Véronique O'Leay).
1974	Création de l'Atelier-Studio Kaléidoscope, Montréal (direction : Marthe Mercure).

1975   Création de la troupe Les Enfants du Paradis, devenue
            Carbone 14, Montréal (direction : Gilles Maheu).

            Fondation du Théâtre de la Grosse Valise, Montréal.

            Fondation du Théâtre de la Dame de cœur, Upton (di-
            rection : ~~Richard Blakburn~~). Pierre Bégin et
                        ensuite Richard Blackburn
            Fondation du Théâtre de la Manufacture, Montréal (di-
            rection : Jean-Luc Denis et Francine Raymond).

            Fondation du Théâtre de Quartier, Montréal.

1975-1979   Théâtre expérimental de Montréal (direction : Robert
            Gravel, Jean-Pierre Ronfard et Pol Pelletier).

1976   Fondation du Théâtre de la Bordée, Québec (direc-
            tion : Jacques Girard).

            Fondation du Théâtre de l'Avant-pays (direction : Mi-
            chel Fréchette et Michel Ranger).

            Fondation du Théâtre du Gros Mécano, Québec (direc-
            tion : André Lachance).

            La Nef des sorcières (collectif) au TNM (mise en scène
            de Luce Guilbeault).

            Lancement des *Cahiers de théâtre Jeu*, Montréal.

1976-1985   Théâtre de la Grande Réplique, Montréal (direction :
            Jean-Guy Sabourin, Madeleine Greffard, André Bédard
            et Pascal Desgranges).

1977   Fondation du Théâtre du Bois-de-Coulonge, Québec
            (direction : Rachel Lortie et Jean-Marie Lemieux).

            La Nouvelle Compagnie théâtrale inaugure le Théâtre
            Denise-Pelletier et la salle Fred-Barry.

            Le Théâtre expérimental de Montréal crée la Ligue
            d'improvisation (LNI) (direction : Robert Gravel).

1977-1984   Revue *La Grande Réplique* qui deviendra à partir de
            1981 *Pratiques théâtrales*.

1977-1982   Revue *Le Pays théâtral*.

1978   Fondation du Théâtre de la Commune à Marie, Québec (direction : Janine Angers, Denise Dubois et Denise Gagnon).

1978-1995   Café de la Place, Place des Arts (direction : Henri Barras).

            Les fées ont soif, de Denise Boucher, au TNM (mise en scène de Jean-Luc Bastien).

1979-1989   L'Opéra-Fête (direction : Pierre A. Larocque).

1979   Fondation du Nouveau Théâtre expérimental (direction : Jean-Pierre Ronfard, Robert Gravel, Robert Claing et Anne-Marie Provencher).

1979   Théâtre expérimental des femmes, Montréal (direction : Pol Pelletier, Louise Laprade et Nicole Lecavalier).

            L'UQAM ouvre un programme de maîtrise en art dramatique.

1981   Fondation du Dynamo Théâtre (direction : Robert Dion et Rénald Laurin).

            La Saga des poules mouillées, de Jovette Marchessault, au TNM (mise en scène de Michèle Rossignol).

            Vie et mort du roi boiteux, de Jean-Pierre Ronfard, par le Nouveau théâtre expérimental.

1982   Fondation de la Maison québécoise du théâtre pour l'enfance et la jeunesse.

            Fondation du Théâtre Ubu, Montréal (direction : Denis Marleau).

1982   *Provincetown Playhouse, juillet 1919, j'avais 19 ans*, de Normand Chaurette, au Café Nelligan (mise en scène de Michel Forgues).

1983   Fondation du Conseil québécois du théâtre (CQT).

1984-1985 Le TNM ferme ses portes pour cause d'endettement.

1985 Création du Festival des Amériques (direction : Marie-Hélène Falcon).

1985 Le Théâtre de la Grande Réplique et Le Parminou participent au Festival *Brecht vingt ans après,* à Toronto.

Fondation du Périscope (d'abord connu sous le nom de L'Implanthéâtre), Québec.

1986 Fondation du Théâtre de l'Opsis (direction : Serge Denoncourt, Pierre-Yves Lemieux et Luce Pelletier).

Fondation de Pigeon International (direction : Paula de Vasconcelos et Paul-Antoine Taillefer).

1986 Dissolution de l'AQJT et fondation de la Fédération québécoise du théâtre amateur (FQTA).

Vinci, de Robert Lepage.

1987 Fondation du Carré-Théâtre, Longueuil (direction : Anouk Simard).

1987 *Les Feluettes ou la Répétition d'un drame romantique,* de Michel-Marc Bouchard (mise en scène d'André Brassard, coproduction du Théâtre Petit à Petit et du Théâtre français du CNA).

La Trilogie des dragons (collectif), coproduction du Théâtre Repère et du Festival des Amériques).

1990 Fondation des 20 jours de théâtre à risque (direction : Sylvie Lachance).

1991 Fondation de l'Espace Go, Montréal (direction : Ginette Noiseux).

1995 Ouverture de l'Usine C et du nouveau théâtre de l'Espace Go, à Montréal.

MISE EN PAGES ET TYPOGRAPHIE :
LES ÉDITIONS DU BORÉAL

ACHEVÉ D'IMPRIMER EN AOÛT 1997
SUR LES PRESSES DE L'IMPRIMERIE AGMV MARQUIS,
À CAP-SAINT-IGNACE (QUÉBEC).